# graffiti

**Angharad Devonald**

IDREF WEN

I Ffion

## Pennod 1

"Bore da, Gwen!" oedd bloedd egnïol y triawd o gefn y bws wrth i Gwen wthio heibio i Gareth a dringo i'r sedd ger y ffenest.

"Ody e?" Taflodd ei bag ar lawr, rhoi ei thraed ar y sedd o'i blaen, eistedd nôl a chau ei llygaid. Roedd Gwen mewn hwyliau drwg. "Mae'n ganol y nos, bois," meddai. "Sa i 'di codi mor gynnar â hyn ers deufis a mwy!"

Ceisiodd Steff godi calon Gwen trwy gynnig gweddill ei Fars bar gwlyb iddi. Agorodd Gwen ei llygaid, crychu ei thrwyn, a setlo nôl eto.

"Deffrwch fi pan ni'n cyrraedd, newch chi?"

"Dere mla'n, Gwen! Ble ma dy frwdfrydedd di?" gofynnodd Gareth yn gellweirus, gan brocio'i braich hi'n chwareus.

"Fi 'di gadel e yn tŷ. Gad hi, nei di," atebodd Gwen, a rhoi pwniad caled yn ôl iddo.

Doedd 'na ddim gwella ar hwyliau Gwen, yn amlwg, ac eisteddodd Gareth yn ôl yn ei sedd. Bu'n edrych ymlaen at y bore 'ma, ond roedd y cyffro a deimlai wrth adael y tŷ yn dechrau troi'n ddim byd mwy nag atgof pell.

Trodd Gareth at Steff, oedd wrthi'n llyfu'r papur Mars bar. "Steff, achan, be sy'n bod arnot ti? Nagyt ti 'di dysgu byta'n iawn dros y gwylie?"

"Sori – starfo," oedd eglurhad syml Steff.

"Sen i'n byta fel ti, bydden i'n ugen stôn o leia," meddai

Helen, oedd yn amlwg yn hanner cenfigennu wrtho.

Doedd Steff ddim rhy hoff o gyfeiriad newydd y sgwrs, a phenderfynodd mai gwell fyddai troi sylw'r criw at rywbeth arall. "Be ma pawb yn mynd i neud yn y chweched, 'de?" gofynnodd. Dyma'r cwestiwn roedd pawb eisiau ei ofyn mewn gwirionedd, ond neb cweit yn siŵr sut i godi'r mater.

"Celf," atebodd Helen yn gyflym.

"Be? 'Na i gyd?" gofynnodd Steff.

"*Resit* Maths 'da fi 'fyd, on'd o's e?" meddai Helen, gan gofio nôl i ddiwrnod y canlyniadau. Doedd y bore hwnnw ganol Awst ddim yn fore rhy dda i Helen. "O! Sa i'n gwbod," ychwanegodd. "Falle Seicoleg, neu Cymdeithaseg neu rhywbeth fel'na 'fyd. Beth byti ti?"

"Maths, Cyfrifiaduron a Ffiseg," meddai Steff, yn gwbl sicr o'i ddewis.

"*Geek!*" oedd ymateb cyflym Gareth.

"Na, ddim o gwbl. Llai o waith, 'na i gyd."

Doedd rhesymeg Steff ddim yn neud unrhyw fath o synnwyr i Helen. Sut allai Maths a Ffiseg fod yn llai o waith i unrhyw un?! Ond roedd Gareth yn gweld ei bwynt – roedd gan Steff dalent naturiol yn y pynciau hyn, felly iddo fe roedden nhw'n opsiynau rhwydd. Dyna'r union reswm a roddodd Gareth dros ddewis Chwaraeon.

Penderfynodd Gwen fod ganddi ddiddordeb yn y sgwrs wedi'r cwbl. "Paid gweu'tho fi bo ti'n whilo esgus i whare mwy o rygbi?" gofynnodd.

Roedd Gareth wrth ei fodd fod Gwen o'r diwedd nid yn unig yn talu sylw i'r sgwrs, ond yn talu sylw iddo yntau. "Wrth gwrs 'ny. Wy'n gallu whare i'r tîm cynta leni, os odw i'n ddigon da, felly ma eisiau i fi ymarfer gyment alla i."

"Beth yt ti'n mynd i neud, Gwen?" gofynnodd Steff wedi

eiliad o dawelwch.

"Sa i'n gwbod."

"Der mla'n – ma rhaid bod rhyw fath o syniad 'da ti."

"Dim rili, na."

"Mae'n anodd i ti, nagyw e?" meddai Helen, gan ffugio cydymdeimlad. "Ti'n gwbod, gyda dy ddeuddeg A serennog a phopeth, rhaid bod hi'n anodd penderfynu."

"Ca' dy ben, Hels." Doedd Gwen ddim am iddyn nhw ddechrau gwneud hwyl am ei phen hi ar fore cynta'r tymor. Roedd y criw wrth eu boddau yn ei hatgoffa taw hi oedd hoff ddisgybl bron pob un o athrawon Caeglas. Roedd Gwen yn fwy nag ymwybodol o hynny, ond roedd hi'n casáu pobl yn tynnu sylw at y peth. Trodd i syllu drwy'r ffenest.

Yn sydyn, daeth sŵn curo trwm ar ochr y bws i dynnu sylw'r criw, a dechreuodd ambell un o'r disgyblion ar y bws weiddi ar y gyrrwr i aros. Arhosodd y bws yng nghanol y lôn. Roedd sawl pâr o lygaid yn syllu i gyfeiriad y drws wrth iddo agor. Ymddangosodd Neil, a'i wynt yn ei ddwrn, a'i frawd bach Simon wrth ei gwt. Diolchodd yn llipa i'r gyrrwr a chynyddodd y chwerthin a'r cymeradwyo yn raddol wrth i Neil ymlwybro at y sedd gefn. Erbyn iddo gyrraedd, roedd y criw i gyd, gan gynnwys Gwen, yn eu dyblau, yn chwibanu ac yn curo dwylo wrth iddo eistedd rhwng Helen a Steff.

"Wel, 'na beth yw croeso. Diolch i chi, bois," meddai Neil, gan wenu er gwaetha'r gwrido.

"Nagyt ti 'di dysgu shwt ma dala bws dros yr haf, 'de?" gofynnodd Helen yn chwareus.

"Nago'n i moyn eich gadel chi lawr. Mae'n draddodiad, nagyw e?" atebodd Neil.

"Druan o Simon," meddai Helen gan godi llaw ar y

bachgen ym mlaen y bws wrth iddo geisio gwthio heibio i Lisa, merch o flwyddyn naw, er mwyn cael eistedd yn yr unig sedd wag oedd ar ôl.

"Druan ag e? Pam 'ny? Mae dag e foi mwya cŵl yr ysgol yn frawd iddo fe!"

Parhaodd Helen i wylio Simon, oedd bellach yn edrych o'i gwmpas yn chwilfrydig, a'i lygaid fel soseri, fel se fe ddim yn gallu gwneud synnwyr o'r olygfa o'i flaen. Doedd hi ddim am ddweud hynny wrth Neil, ond gwyddai Helen y byddai'r diwrnod cyntaf yn yr ysgol uwchradd yn ddiwrnod mawr i Simon. Ychydig dros flwyddyn oedd wedi mynd heibio ers i'r ddau frawd golli eu mam, ac er nad oedd neb yn siarad am y peth byth, roedd Helen yn eithaf sicr fod y ddau yn gweld ei heisiau hi. "Ody Simon yn olreit?" mentrodd ofyn.

Trodd pawb i edrych ar y crwt ym mlaen y bws, ond roedd Neil yn eitha hyderus. "Wrth gwrs ei fod e."

"Mae'n edrych mor fach," meddai Helen.

"Mae'r rhai newydd i gyd yn fach," cytunodd Gareth. "Maen nhw'n mynd yn llai ac yn llai bob blwyddyn."

"Ti sy'n mynd yn fwy, y ffŵl!" cywirodd Gwen e. "A nagyn nhw'n fach ac yn ciwt pan maen nhw'n llefen ar dy ysgwydd di, a'u trwynau bach snoti yn rhwbo yn dy ddillad di."

Cododd Gwen ei bag a dechrau ymbalfalu am ei ffôn. Roedd yn ei byd bach ei hun yn cyfansoddi neges hynod bwysig yr olwg, pan ofynnodd Helen pwy yn y byd y gallai fod yn eu tecstio yr amser hyn o'r bore.

"Jac," meddai Gwen. Dywedodd hi ddim mwy, ond roedd gwên yn lledu ar draws ei hwyneb.

"Pwy yw Jac?" Daeth y cwestiwn fel bwled o ben Neil, ac

roedd Gareth yn falch. Roedd e ar dân moyn gwybod, ond yn methu â ffurfio'r geiriau ei hun.

"Y boi 'ma wy 'di dechre'i weld," meddai Gwen, gan ddatgan yr union eiriau doedd Gareth ddim am eu clywed.

"O, ie?" meddai Helen, a dringodd dros y bois i gael eistedd wrth ochr Gwen. Roedd hi, yn un, eisiau cael gwybod y manylion i gyd.

"Co ni off," meddai Steff. "*Girly chat alert.*" Gwnaeth benderfyniad ar ran y bois i anwybyddu'r merched am weddill y siwrne.

"'Ma ni, 'de," meddai Steff, gan neidio ar ei draed yn eiddgar a dechrau annog y rhai o'i flaen i adael y bws. Yn araf iawn, casglodd y gweddill eu bagiau a dechrau symud fel gwartheg am y drws.

Roedd y gyrrwr bws wrthi'n gwneud yn siŵr nad oedd dim wedi ei adael ar ôl, a sylwodd Gwen arno'n troi at Lisa ac yn gwenu arni. "Gei *di* adael unrhyw beth ti moyn, 'nghariad bach i. Edrycha i ar ei ôl e i ti ..." Ac yn lle atalnod llawn, dyma fe'n rhoi clamp o winc ar ddiwedd ei frawddeg.

"Pyrf!" meddai Gwen, yn ddigon uchel i'r gyrrwr ei chlywed tasc fe'n dewis – yn ddigon uchel i Gareth ei chlywed yn sicr. Rhoddodd Gareth ei ddwy law ar sgwyddau Gwen a'i harwain hi oddi ar y bws. Doedd e ddim am iddi ddechrau cega mor gynnar yn y bore.

"Dere," meddai wrthi, "sdim isie i ti ddechre diwrnod cynta'r tymor yn dadlau. Dere i fi gael neud dishgled i ti."

"Beth?" meddai Gwen, yn dal i geisio canolbwyntio ar y gyrrwr.

"So ti'n cofio, Gwen fach? 'Ni yn y chweched nawr,"

meddai Gareth. “Ma lolfa ’da ni – cegin, tegell … Ac ma isie rhywbeth arnot ti i helpu ti ddeffro.”

Gwenodd Gwen yn wan arno, cyn cytuno nad oedd ganddi’r egni i ddadlau y bore ma, a gadawodd i Gareth ei harwain at ei choffi.

## Pennod 2

"Diolch byth bod hi'n amser cinio," meddai Neil wrth Steff oedd y tu ôl iddo yn y ciw. Stwffiodd Steff lond llaw o sglodion i'w geg cyn ateb. "Ti'n gweu'tho fi! Sa i'n credu bo fi'n mynd i lico'r chweched. Dylet ti weld faint sda fi i ddarllen cyn wythnos nesaf!"

Safai Gareth y tu ôl i'r ddau, ond doedd e ddim yn canolbwyntio ar eu sgwrs. Roedd ei lygaid yn brysur yn crwydro'r ffreutur yn chwilio am Gwen. Trwy'r ffenest, sylwodd arni'n hanner sgipio, hanner rhedeg at ryw foi cyhyrog gwallt melyn oedd yn pwyso'n erbyn gatiau'r ysgol. Cyrhaeddodd Gwen ato a thaflu ei breichiau o amgylch ei wddf. Ymgollodd y ddau mewn cusan am rai eiliadau cyn i'r gŵr ifanc ddatod ei hun oddi wrthi ac estyn i'w boced am baced o sigaréts. Cynigiodd un i Gwen, a derbyniodd hithau gyda gwên ar ei hwyneb.

"Jac, ife?" gofynnodd Helen, yn amlwg wedi bod yn gwylio'r un sioe.

"Mae'n rhaid," meddai Gareth yn dawel, yn ffaelu â thynnu ei lygaid oddi arnynt.

"Ody Gwen yn gwbod beth mae'n neud 'da boi fel 'na?"

"Sa i'n gwbod," oedd unig ateb Gareth.

Yn sydyn, fel ffrwydrad, ymddangosodd Rhys a Rhodri, dau ddisgybl hyderus o flwyddyn saith, a cheisio gwthio eu ffordd i flaen y ciw. Roeddent yn clirio llwybr iddyn nhw eu hunain drwy dynnu gwallt y merched, llyfu eu hwynebau, dwyn eu bagiau a gwagio'u cynnwys ar lawr. Plygai'r merched i geisio achub eu stwff, a cholli eu lle yn y ciw. Sylwodd Neil fod ambell un o'r bechgyn yn estyn eu breichiau i geisio atal Rhys a Rhodri ond, rywsut, roedd y ddau yn llwyddo i'w hosgoi bob tro. Roedden nhw fel dau gorrach bach, yn llamu o gwmpas ac yn chwerthin yn afreolus ac yn gadael llwybr o lanast y tu ôl iddynt bob cam.

Cynyddodd y nifer oedd yn gweiddi arnynt i roi'r gorau iddi, ac ym mlaen y ciw sylwodd Helen fod Lisa fach yn ei dagrau. Roedd Lisa ar ei gliniau, yn ceisio dod o hyd i'w phethau oedd bellach ar wasgar ar lawr. Neil oedd y cyntaf i adael y rhes a mynd i weld beth oedd y ffys, ac aeth Helen i gysuro Lisa.

Llwyddodd Neil i afael yn Rhys a Rhodri yn weddol ddidrafferth, un ym mhob llaw, a'u martsio'n ôl i gefn y ciw. Doedd dim cysgod ofn ar eu hwynebau. Roeddynt yn parhau i chwerthin ac yn mwynhau'r sylw a gaent gan y disgyblion eraill.

Plygodd Helen ar ei chwrcwd a chynnig tisw i Lisa, oedd â'i hwyneb yn goch i gyd, yn gymysgedd o ddagrau a thymer. Roedd hi wrthi'n stwffio'i phethau yn ôl i grombil ei bag.

Fel rhyw hen ffilm ddu a gwyn y gwelodd Steff hi, yn chwarae'n araf o'i flaen, bron fel rhyw freuddwyd, ac yntau fel ysbïwr cudd yn gweld y cyfan ac eto heb fod yn rhan ohoni.

"Neil! Naaaaaaaa!" Sgrech Helen a chwalodd y freuddwyd wrth iddi ruthro draw tuag ato, ond roedd Gareth eisoes wedi cyrraedd. Roedd e'n crafangu i ddal ei afael yn nwylo Neil, ac yn gwneud ei orau i'w orfodi i ollwng ei afael ar Rhys a Rhodri. Roedd un ym mhob braich o hyd, ond roedd y ddau yn berffaith dawel erbyn hyn, â'u llygaid yn llydan gan ofn wrth i Neil eu dal gerfydd eu gyddfau yn erbyn wal y ffreutur.

Cydiai Gareth yn dynn yn nwylo Neil tra bod Helen yn gwneud ei gorau i'w dynnu oddi yno gerfydd ei ysgwydd. Yn sydyn, ymddangosodd Simon y tu ôl iddynt, yn gweiddi ar Neil i adael llonydd iddyn nhw, i'w gollwng nhw.

O'r diwedd, llwyddodd Gareth i daflu Neil i'r naill ochr. Roedd blocêd rhyngddo â'r bechgyn iau erbyn hyn, a daeth Steff at ochr Neil a'i arwain yn ôl i'w le yn y ciw, gan anadlu'n galed. Edrychodd Gareth o amgylch y ffreutur i wneud yn siŵr nad oedd yna athrawon o gwmpas. Diolch i'r nefoedd doedd dim un i'w weld, ac felly mentrodd roi rhybudd arall i Rhys a Rhodri, tra oedd Helen wrthi'n gwneud yn siŵr nad oedd ôl bysedd Neil yn rhy amlwg ar eu gyddfau.

Ac yntau'n ôl yn y ciw, trodd Neil a sylwi am y tro cyntaf ar ei frawd bach, ac ar y dagrau tawel oedd yn disgyn ar ei fochau gwelw. Roedd tawelwch llethol yn y ffreutur erbyn hyn, a Neil yn fwy nag ymwybodol bod o leia tri chan tyst i'r digwyddiad – pob un ohonynt yn syllu arno ac yn sibrwd, fel tase fe'n rhyw fath o anghenfil.

"O, stwffo'r ciw 'ma," meddai Helen mewn ymgais i ysgafnhau pethau. "Pwy sy ffansi mynd i'r pentre i chwilio am ginio, 'te?"

Cytunodd Neil ar unwaith, ond nid edrychodd ar neb. Roedd ei lygaid wedi'u hoelio ar ei draed, a dagrau ei frawd yn boddi ei feddyliau. Cerddodd yn gyflym tuag at y drws yng nghefn y ffreutur. Gweddïodd y gallai Steff atal y menywod cinio rhag agor eu cegau hefyd. Roedd Steff, o leia, yn dipyn o ffefryn ganddynt am ei fod mor hoff o'u bwyd.

Daethant at Rhys a Rhodri yng nghefn y ciw, a throdd Neil atynt eto.

"Paid neud dim byd!" plediodd Helen.

"Sa i'n 'ych rhybuddio chi'ch dou 'to. Dysgwch fihafio, neu fydd 'ych bywyde chi ddim gwerth eu byw."

Nodiodd y ddau eu pennau mewn ymateb a'i wylio'n graff wrth i Helen ei dynnu am y drws.

## Pennod 3

Ymlwybrodd y ddau frawd adre mewn tawelwch llethol, gyda digwyddiadau'r diwrnod yn pwyso'n drwm arnynt. Daethant at y drws. Rhoddodd Neil ei allwedd yn nhwll y clo. Roedd ei galon yn curo fel gordd yn ei frest wrth iddo agor y drws ar ei gartref llonydd, tawel. Camodd dros y trothwy, gyda Simon y tu ôl iddo, ac oedodd am eiliad i wrando cyn galw, "Dad? … Da-ad?!"

Dim ateb. Camodd y ddau yn eu blaenau, yn fwy hyderus nawr. Rhoddodd y ddau eu cotiau ar y bachau priodol, gosod eu bagiau o'r ffordd yn dwt yn y cwtsh dan stâr, a mynd trwodd i'r gegin.

Eisteddodd Simon wrth y bwrdd, gan wylio'i frawd yn tynnu'r bara o'r bag ac yn rhoi dwy dafell yn y toster, wedyn yn agor tun bîns ac yn tywallt y cynnwys i waelod dysgl, cyn ei gorchuddio'n dwt â chling ffilm, bwrw tyllau i'r clawr tyn, a'i rhoi yn y meicrodon. Aeth Neil ati i gasglu'r menyn o'r oergell, plât o'r cwpwrdd, a chyllell o'r drôr cyn sefyll fel delw o flaen y toster, yn disgwyl iddo daflu'i gynnwys cras ato. Syllodd Simon arno'n hir, yn ei wylio'n cwblhau'r mân dasgau. Roedd yn ysu am gael trafod digwyddiadau'r ffreutur, ond gwyddai na fyddai Neil yn awyddus i ateb ei gwestiynau.

Neidiodd y tost o'r hollt, ac aeth Neil ati i grafu menyn ar ei ben. Cafodd e gyfle i roi'r menyn yn ôl yn ei briod le cyn i'r meicrodon gyhoeddi ei fod yn barod gydag un ping uchel.

Gosododd Neil y pryd brysiog ar y mat bwrdd o flaen Simon, cyn ei esgusodi'i hun, a diflannu i'w ystafell wely.

Rai munudau'n ddiweddarach, ailymddangosodd Neil yn gwisgo ei grys-T coch 'Spar'. Eisteddodd i wylio Simon yn gorffen cnoi ei dost.

"Fi'n gorffen am ddeg heno," meddai wrtho. "Fyddi di'n olreit?"

"O's raid i fi aros ar ben 'yn hunan?" gofynnodd Simon.

Atebodd Neil ddim am rai eiliadau. Cododd a mynd draw at y sinc. Roedd ei law yn symud i mewn ac allan o lif dŵr y tap wrth iddo siarad, yn aros i'r tymheredd godi digon cyn iddo osod y plwg yn ei le. "Cer draw i whare yn nhŷ Owen os ti moyn. Ddo' i ôl ti ar fy ffordd gytre."

"Alla i?"

"Sa i'n gweld pam lai," meddai Neil wrth sgwrio'r staen saws bîns oddi ar y ddysgl.

Syllai Simon ar gefn ei frawd mawr, gan obeithio y byddai hyn yn ddigon i dynnu ei sylw. "Alla i fynd i nofio ar ôl ysgol fory?" mentrodd Simon o'r diwedd.

"Alla i fyth â mynd â ti fory," meddai Neil, heb droi i edrych arno. Roedd yn gas ganddo orfod siomi ei frawd. "Fi'n gwitho."

Roedd Simon yn fwy na chyfarwydd â thôn llais Neil, ac er ei fod yn siomedig, doedd e ddim yn grac. "Falle'r eith Dad â fi," meddai'n llawn hwyl, gan godi a mynd â'i blât gwag at ei frawd.

"Falle," meddai Neil fel peiriant, ac estyn clwtyn i Simon gael sychu'r bwrdd.

Gorffennodd Neil olchi'r llestri, a throi i weld ei frawd yn creu patrymau gwlyb ar wyneb y bwrdd.

Gwyddai Neil fod Simon wrth ei fodd gyda gêmau cyfrifiadurol, ac er ei fod yn teimlo'i fod yn ei lwgrwobrwyo, addawodd ddod â gêm yn ôl o'r siop iddo heno. Cynigiodd y dylai Simon wahodd Owen draw i chwarae yn ei erbyn fory.

Roedd Neil yn eitha cŵl wedi'r cwbl. Falle ei fod e'n gweithio lot, ond roedd e'n dod â'r gêmau diweddara yn ôl o'r gwaith gydag e. Doedd gan Owen ddim brawd oedd yn gwneud hynny. Cytunodd Simon, gan edrych ymlaen at gael herio'i ffrind drannoeth.

Estynnodd Simon y clwtyn yn ôl i Neil. Rhoddodd Neil y llestri sych yn ôl yn eu priod le, ac yna ailwlychu ac ailsychu'r clwtyn, ac wedyn ail-lanhau'r bwrdd.

Gwagiodd y dŵr o'r sinc, cyn clirio pob ôl ohono gyda'r clwtyn dibynadwy. Estynnodd feiro a phapur o'r drôr ac edrych drwy'r cypyrddau gan nodi yr hyn roedd ei angen arnynt i lenwi'r bylchau. Rhoddodd y rhestr orffenedig yn ei boced.

Ysgrifennodd nodyn i'w dad a'i roi i Simon i'w arwyddo, cyn casglu ei got oddi ar y bachyn, a gadael y tŷ unwaith eto, gyda Simon yn dynn wrth ei gwt.

Y nodyn oedd yr unig arwydd eu bod nhw wedi croesi'r rhiniog o gwbl.

## Pennod 4

Er ei bod, dan orfodaeth ei mam, yn gwisgo cot, roedd coesau Gwen yn dal i grynu dan yr esgus o sgert ddenim yr oedd wedi'i phrynu iddi hi ei hun yn arbennig ar gyfer heno. Gwyddai fod ganddi goesau da, diolch i'r ddeuddeng mlynedd o wersi ballet y llusgwyd nhw iddynt. A nawr roedd Jac am gael gwybod hynny hefyd.

Roedd hi'n nos Sadwrn a safai Gwen ar ei phen ei hun tu fas i *Burger King* yn curo'i bysedd yn erbyn ei chlun. Ceisiodd ganu ei hoff ganeuon yn ei phen a churo'u rhythmau er mwyn cadw brysur. Roedd ugain munud ers iddi gyrraedd, a dim sôn am Jac.

Tsieciodd ei ffôn am y canfed tro. Ofnai ei bod yn edrych yn ifanc ac yn nerfus i'r holl bobl oedd yn pasio, yr holl bobl oedd yn sylwi arni hi a'i choesau.

Penderfynodd roi'r gorau i'r gêm rythmau. Syllodd ar yr orymdaith yn ei phasio: criwiau o ferched swnllyd ar sodlau tila yn chwerthin a simsanu drwy'r dre, bechgyn mewn crysau smart a chwmwl *aftershave* uwch eu pennau, a chyplau cariadus yn ceisio cusanu wrth gerdded. Fel hynny y dylai hi a Jac fod, meddyliodd.

Tynnodd ei ffôn o'i bag unwaith eto. Doedd dim munud wedi pasio ers y tro diwethaf iddi edrych arno. Gwyddai nad oedd dim un sŵn wedi dianc ohono, dim un neges wedi cyrraedd, a doedd dim un geiniog goch o gredyd ar ôl ganddi i ffonio Jac.

Ble roedd e?

Sylwodd ar foi yn igam-ogamu ar hyd y palmant tuag ati. Gallai weld o bell fod ei lygaid yn groes dan effaith alcohol, a chwarddodd Gwen wrth ei wylio'n gwneud môr a mynydd o neidio dros becyn creision gwag a orweddai'n sbwriel ar ei lwybr. Nesaodd ati.

*"Allright, love?"*

Gorfododd Gwen ei hun i wenu arno.

*"What's a pretty girl like you doing out on your own then?"*

Petrusodd Gwen, heb fod yn siŵr p'un ai i'w ateb neu beidio. Penderfynodd beidio, ond ostyngodd hi mo'i llygaid.

Dynesodd yntau tuag ati, a dechreuodd Gwen symud ei phwysau o un goes i'r llall, gan lapio'i breichiau yn dynnach amdani mewn coflaid o gysur.

*I'll keep you company, love ... show you a good time.*"

Beth ar wyneb daear roedd hi'n ei wneud? Penderfynodd ei bod yn bryd iddi roi'r ffidl yn y to a mynd adre. Gallai Jac stwffo'i hunan! Twll ei din e os nad oedd e'n gallu gwerthfawrogi'r hyn oedd ganddo! Plannodd Gwen ei dwylo yn ddwfn i'w phocedi a throi i frasgamu oddi yno.

"Gwen! Gwen!" daeth llais cyfarwydd o'r ochr arall i'r stryd. Jac! Amseru perffaith, fel arfer. Croesodd yn hamddenol braf tuag ati.

Trodd Gwen at y boi meddw. "*My boyfriend*," meddai, ac roedd hynny'n ddigon i beri iddo symud yn ei flaen, diolch byth.

Cyrhaeddodd Jac ei hochr a lapio'i freichiau amdani. Edrychodd i fyw ei llygaid a gwenu, "Ti'n edrych yn ffab!" Plygodd tuag ati, a gadael i'w gwefusau gwrdd yn ysgafn am eiliad.

Pesychodd rhywun y tu ôl iddo a throdd Gwen i weld Val a Charlie, dau o ffrindiau Jac o'r Brifysgol. Gwenodd arnynt.

"Shw mae?" meddai'n swil, a derbyn gwên yr un yn ymateb ganddynt.

"Barod?" gofynnodd Jac, gan bwyso'i fraich yn hamddenol am ei hysgwyddau ac yna'i harwain i gyfeiriad tafarn gyfagos.

Dechreuodd Gwen boeni. Roedd bownsar ar y drws. Penderfynodd ymddangos yn hyderus – dyna hanner y gamp, medden nhw. Gwenodd yn ddel arno, a chael winc yn ôl am ei thrafferth, a chafodd pasio heibio heb iddo yngan gair. Anelodd Jac a hithau tuag at y bar.

"Peint?" gofynnodd iddi. Cytunodd hithau.

Jac oedd yn gyfrifol am y rownd gynta, ond doedd dim sôn am Charlie na Val. O'r diwedd, ymddangosodd y ddau wrth eu hochr ger y bar. Roedd gwên enfawr ar wyneb Charlie a thinc direidus yn ei lais wrth iddo egluro bod Val wedi cael ei stopio gan y bownsar a'i fod wedi gofyn am ID.

"Odw i'n ddeunaw?!" meddai Val, yn ceisio cuddio'i hembaras. "Wy'n ugain, er mwyn Duw!"

Gwenodd Gwen eto – dyna fuddugoliaeth fach iddi heno.

Symudon nhw at fwrdd gwag yn y gornel. Roedd yn rhaid i Jac a hithau rannu mainc ond doedd dim ots ganddi. Fel hyn, roedd eu coesau'n cyffwrdd, a rhoddai hynny wefr iddi. Roedd Gwen wrth ei bodd. Cododd Jac ei wydr. "Iechyd!" meddai, a gwenu arni cyn llowcio'i beint. Cleciodd y gwydr yn ôl ar y bwrdd a dynwaredodd Gwen bob symudiad. Gafaelodd Jac yn ei llaw o dan y bwrdd a'i gwasgu'n dynn. Arwydd iddi hi oedd hyn, meddyliodd Gwen. Iddi hi a neb arall.

Tynnodd Jac ei law o'i gafael am eiliad ac estyn i'w

boced am ei becyn sigaréts. Cynigiodd un iddi.

Doedd Gwen ddim yn hoff o smygu mewn gwirionedd – ddim yn hoff o'i flas na'i arogl. Ond roedd Jac yn smygu, felly man a man iddi hithau wneud hefyd. Lapiodd ei llaw o amgylch y tân yr oedd Jac wrthi'n ei gynnig iddi, a lapiodd yntau ei law o gwmpas ei llaw hithau. Edrychodd lan i fyw ei lygaid gwyrdd unwaith eto a gwenu. Cymerodd ddrag hir ar y sigarét a theimlo ei phen yn troi. Doedd hi ddim yn siŵr ai Jac neu'r sigarét oedd yn gyfrifol am hyn.

Wrth setlo nôl ar y fainc, â'i phwysau'n drwm yn erbyn Jac, fe ymlaciodd. Roedd y criw yn trafod y clybiau nos, y DJs gorau, a'r awyrgylch drydanol. Gwyddai Gwen mor ddibrofiad oedd hi yn y maes hwn, ond roedd hi'n barod i ddysgu, yn barod i dderbyn doethineb profiadol y lleill. Cytunai â phob gair a ddywedent. Roedd hi'n edrych ymlaen at gael adrodd yr hanes wrth Helen a'r bois. Edrych ymlaen at weld y sioc ar eu hwynebau pan ddywedai wrthynt ar y bws fore Llun.

O gornel ei llygaid, sylwodd Gwen ar rywun cyfarwydd. Syllodd am eiliad cyn deall mai Miss Rhydderch, yr athrawes Addysg Grefyddol, oedd yno ym mhen pella'r dafarn. Suddodd ei chalon wrth iddi amau bod Miss Rhydderch wedi edrych arni am eiliad, ond dim ond am eiliad, cyn troi i ffwrdd. Edrychodd hi ddim wedyn, ac fe anadlodd Gwen stribed hir o fwg a rhyddhad i ganol y bwrdd. Hyd yn oed tase Miss Rhydderch yn ei gweld, doedd dim achos poeni. Gwen oedd un o'i hoff ddisgyblion.

Trodd Jac ati, "Ti'n iawn, *babe*?"

Dyna fe eto, y gwres yn ei bochau! "Ydw," meddai, gan geisio'i gorau i swnio'n rhywiol. Caeodd ei llygaid wrth i Jac ymestyn ei ben tuag ati, a'i chusanu'n dyner.

## Pennod 5

"Gallet ti fod wedi gweud wrtha i!" gwaeddodd Gareth ar Gwen. Roedd Helen a Steff yn ceisio cadw allan o'r ddadl, ond roedd hynny'n anodd gyda banshi gwyllt yn sgrechen gweiddi ar eu traws. Roedd Gareth wedi colli ei dymer go-iawn y bore 'ma. Pam nad oedd hi'n gwrando arno? Oedd hi'n yn gwneud y pethau 'ma yn fwriadol i'w wylltio fe? Roedd yn anodd iawn gan Gareth gredu nad oedd Gwen yn sylweddoli mor anghyfrifol y bu hi.

"Wel, ma popeth yn olreit nawr, nagyw e?" meddai Gwen, gan fynnu bod Gareth yn gorymateb. Caeodd Helen ei llygaid ac aros am y ffrwydrad. Dyna'r peth gwaethaf un y gallai hi fod wedi ei ddweud.

"Nagyw, Gwen, dyw e ddim! Ffonodd dy fam fi i ofyn os o't ti'n dod nôl i ga'l cinio. O'dd dim cliw 'da fi le o't ti!" bloeddiodd Gareth.

"A gredodd hi ti pan wedes ti bo fi yn y gawod!" meddai Gwen yn araf ac yn uchel, fel tase Gareth yn blentyn bach byddar. "Felly beth yw'r broblem?"

"Nage 'na'r pwynt. Galle unrhyw beth fod wedi digwydd i ti!"

"Ond na'th e ddim!"

Doedd gweiddi arni ddim am weithio. Cymerodd Gareth anadl ddofn a phenderfynu newid ei dactegau. Roedd e wedi ennill sawl gêm rygbi trwy greu'r elfen yma o syndod. "Grynda, Gwen, 'sdim gwa'nieth 'da fi gyfro drosot ti, dim ond bo ti'n rhoi gwbod i fi o fla'n llaw. Ac os y't ti 'di digwydd gweud wrth dy rieni bod ti'n aros yn tŷ ni, ac wedi digwydd anghofio rhannu'r wybodaeth 'na 'da fi, falle y byddi di mor garedig ag ateb dy ffôn pan wy'n ffono?" Un da oedd Gareth am fod yn sarcastig. Doedd dim awgrym o falais yn y geiriau eu hunain, ond roedd tôn ei lais yn chwipio.

"O'n i siŵr o fod yn cysgu pan ffoniest ti! O'dd hi'n noson hwyr, reit? *God! Chill out,* nei di?" Trodd Gwen at y ddau ddelw arall wrth eu hochr. "Gwedwch wrtho fe, newch chi?"

Edrychodd Steff arni. Yn gyfleus iawn, roedd e wedi stwffio twmpyn o siocled i'w geg ac roedd hynny'n ei arbed rhag gorfod siarad. Edrychodd Gwen ar Helen, gan ddisgwyl am ei chefnogaeth.

"Ma pwynt dag e," meddai Helen yn llipa.

"Ie, grêt, diolch Hels. Galw dy hunan yn ffrind, 'yt ti?"

Pwdodd Gwen, ac edrychodd Gareth arni. Roedd e bron iawn yn ei chasáu pan oedd hi'n ymddwyn fel hyn. Fel plentyn bach cwynfanllyd. Fel arfer roedd hi'n olreit – a dweud y gwir, roedd hi'n fwy nag olreit – ond roedd hi'n casáu colli dadl. Trodd Gareth i edrych drwy un ffenest a syllodd Gwen drwy'r llall. Roedden nhw fel dau ben llyfr yn dal Helen a Steff yn eu lle.

Er gwaetha'r llonyddwch yn y sedd gefn, roedd naid a sbonc yn sawl un o'r disgyblion yn y blaen, yn bennaf oherwydd bod Rhys a Rhodri yno yn gwneud yn fawr o absenoldeb Neil ac yn rhedeg o un sedd i'r nesaf gan ddwyn a dinistrio wrth fynd. Doedd dim amynedd gan Helen y bore 'ma, a dim asgwrn cefn gan Steff. Fe wylion nhw'r ffradach am beth amser, cyn clywed sŵn curo cyfarwydd ar ochr y bws. Lledaenodd y llonyddwch o'r cefn fel blanced, gan orchuddio gweddill y bws. Brysiodd Rhys a Rhodri yn ôl i'w seddau, a gwisgo gwên angylaidd ar eu hwynebau wrth i Neil eu pasio. Dechreuodd y bws ar ei daith unwaith eto, ond stopiodd Neil yn stond cyn cymryd cam yn ôl a phlygu ar ei gwrcwd wrth ochr Rhys. "Sa i'n dwp, bois," meddai. "Bihafiwch." Cododd ac aeth am y sedd gefn yn fodlon wedi iddo weld y ddwy wên yn diflannu.

"Olreit?" gofynnodd, gan wthio'i ben-ôl i'r bwlch rhwng Helen a Steff. "Gwd penwythnos?"

Edrychai Steff fel peth gwyllt wrth iddo wneud arwyddion ar Neil – roedd e'n edrych fel pe bai'n ceisio dawnsio neu gyfarwyddo traffig neu rywbeth. Edrychodd Neil arno, heb ddeall mai neges iddo ef oedd hyn. "Be sy'n bod 'not ti, Steff?" gofynnodd.

"Weda i wrthot ti nes mla'n," sibrydodd Helen yn ei glust.

"O. Reit," meddai Neil.

"Losin?" cynigiodd Steff, yn amlwg yn teimlo'n hael iawn y bore 'ma.

Gwrthododd Helen a Neil. Doedd dim ateb gan y ddau arall.

"A, wel! Mwy i fi, 'de!" meddai Steff, gan obeithio ychwanegu chwa o ocsigen i'r awyrgylch llethol. Roedd e'n casáu dydd Llun ta beth, ond roedd heddi'n waeth nag arfer.

Edrychodd Gwen ar Gareth gan ferwi tu mewn. Roedd hi am ei wthio mor bell ag y gallai y bore 'ma, i dalu nôl am iddo droi Helen yn ei herbyn. Roedd hi'n gwybod yn union sut i wneud hynny hefyd.

"Bues i mas 'da Jac nos Sadwrn, Neil," cyhoeddodd.

"O?" meddai Neil. Pinsiodd Helen goes Neil heb i Gwen sylwi, i geisio ei rybuddio ei bod yn chwarae gêmau.

"Ges i noson wych! *Guess* pwy weles i mas yn y dafarn 'ma?"

"Pwy?" gofynnodd Neil, yn teimlo ei fod bellach yn cerdded ar blisgyn wy.

"Miss Rhydderch, Add Gref," meddai, "ac o'dd hi'n snogo wyneb y boi 'ma off."

"O?" meddai Neil, ddim cweit yn siŵr sut y dylai ymateb i hyn. Trodd Helen ei phen ati, yn gobeithio y gallai dynnu Gwen oddi ar drywydd Jac.

"Ffit?" holodd.

"Hen!" meddai Gwen. "Dim byd i gymharu â Jac."

Gorfododd Helen ei hun i wenu'n gwrtais.

A dyna ddiwedd y sgwrs. Bu tawelwch am rai munudau cyn i Gwen gyhoeddi, "Chi mor sych!" a throi i edrych drwy'r ffenest unwaith eto. Roedd Gareth wedi llwyddo i beidio ag edrych arni drwy gydol y munudau diwethaf, yn bennaf am fod ei hadlewyrchiad i'w weld yn ei ffenest e. Tase hi'n fachgen bydde fe siŵr o fod wedi ei bwrw hi sbel yn ôl.

Teimlai'r siwrne arferol yn faith, ond o'r diwedd ymddangosodd gatiau'r ysgol yn y pellter. Cododd y criw yn gyflym a chasglu eu bagiau. Roedd arnynt eisiau gadael y bws cyn gynted ag y gallent er mwyn cael anadlu'n rhydd.

Safai Gwen tu ôl i Lisa wrth iddi basio'r gyrrwr. Sylwodd arno'n rhoi ei law ar ei hysgwydd ac yn gwenu arni.

"Mae'r sgert 'na'n dy siwto di. Lot gwell na'r trowsus," meddai, â'r saim arferol yn diferu ohono.

Edrychodd Lisa arno.

"Paid becso – sa i'n cnoi … Ti moyn cwtsh i brofi 'ny?"

"Reit!" clywodd Gwen ei llais ei hun yn cyfarth arno, bron cyn iddi sylweddoli ei bod yn siarad.

"Gwen …!" rhybuddiodd Neil.

"Na, Neil, ma isie i rywun weu'tho fe. Nawr, grynda 'ma'r slebog tew," meddai, "mae Lisa fan hyn yn ferch bert, ody. Ond so 'na'n rhoi esgus i ti byrfo dros ferched ysgol, ody e? 'Sdim dwywaith bod hi'n ddigon ifanc i fod yn ferch i ti. Cadwa dy ffantasis brwnt bant o dy waith o hyn mlaen, reit?"

Roedd y gyrrwr yn edrych arni. A dweud y gwir, roedd e'n edrych ar ei blydi coesau hi! Ond cyn iddo gael cyfle i ddweud dim, cododd ton o gymeradwyaeth drwy'r bws.

"Dere," meddai Gwen, gan ddisodli llaw y gyrrwr oddi ar ysgwydd Lisa a gosod ei llaw ei hun yn ei lle. Martsiodd y ddwy yn fuddugoliaethus oddi ar y bws.

Yn yr awyr iach, trodd Lisa at Gwen a diolch yn daer iddi.

"Paid bod yn sofft! Wy 'di bod eisiau neud 'na ers dechrau'r tymor."

Edrychodd Lisa arni ac ystyried, agorodd ei cheg i siarad eto, ond ar hynny, daeth llais Miss Rhydderch o'r tu cefn iddi.

"Gwen?"

Trodd Gwen at yr athrawes a thaflu gwên wybodus ati. Anwybyddodd Miss Rhydderch y wên a datgan fod y Prifathro yn dymuno ei gweld. Roedd gan Gwen wersi drwy'r bore, ond mae'n debyg byddai'r Prifathro yn fodlon aros tan y prynhawn. Trodd Miss Rhydderch ac anelu i gyfeiriad yr ystafell athrawon.

Cododd Gwen ei hysgwyddau, a throi i weld Gareth yn edrych arni.

"Pwy gystadleuaeth ti 'di ennill tro 'ma, 'de?"

"Yr Archangel Gwen *Award*?" meddai Steff.

Cododd Gwen ei haeliau, a chyhoeddi ei bod yn falch. "O

leia nawr ma cyfle ’da fi i gwyno am y gyrrwr *pervy*.”

“Gwen …!” dechreuodd Steff.

“Ma isie i rywun neud rhywbeth. Ma fe fel un o’r *grills* George Foreman ’na, ddyn! Dere, Hels …” meddai, ac yn driw i’w ffrind y tro hwn, dilynodd Helen hi am y lolfa.

## Pennod 6

"Diarddel!" ebychodd Steff.

Roedd yr awydd i chwerthin yn gryf, ond wrth edrych o'i gwmpas a gweld wynebau cegrwth y lleill, roedd yn rhaid iddo weithio'n galed i ymatal rhag gwneud hynny.

Syllai pawb ar Gwen. Roedd ôl y dagrau'n goch ar ei bochau o hyd.

"Diarddel!" meddai Steff eto, yn dawelach y tro hwn, fel pe bai ailadrodd y gair yn gymorth iddo wneud synnwyr ohono.

"*No way!*" meddai Neil.

"Allan nhw ddim!" meddai Gareth.

Gafaelodd Helen yn llaw Gwen. "Ti'n olreit?" gofynnodd yn dyner.

"Fi wedi bod yn well!" meddai Gwen. "Stopwch syllu arna i, y basdads." Symudodd yr wyth llygad oddi arni a cheisio canolbwyntio'n galed ar y llawr, yr awyr, unrhyw beth ond Gwen, ond roedd ei llygaid hi'n bell.

"Ody e'n wir?" Rhys oedd wedi ymddangos yno wrth y gatiau, a Rhodri wedi ei ludo wrth ei ochr, fel arfer.

"Ody e?"

"Ddim nawr, bois," meddai Gareth.

"Ond ody e'n wir?" gofynnodd Rhodri, gan syllu ar Gwen.

"Bois …" meddai Neil, gan godi oddi ar ffens yr ysgol, y ffin nad oedd Gwen i'w chroesi mwyach, a'u dychryn ddigon iddynt ei heglu hi nôl am y cae chwarae.

"Ti ffaelu jyst diarddel rhywun!" meddai Steff, oedd o'r diwedd wedi gwneud synnwyr o'r hyn oedd wedi digwydd.

"Yfed dan oed, smoco …" meddai Gwen.

"Smoco?! Ond so ti *yn* smoco …" meddai Helen.

"Ges i ffag 'da Jac yn y pyb nos Sadwrn."

"Newidith e 'i feddwl …" meddai Helen, gan geisio edrych ar yr ochr bositif.

Roedd Gwen yn gandryll. Doedd hi ddim yn yr ysgol, nac yn ei gwisg ysgol, ac roedd hi'n un ar bymtheg, felly roedd hi'n gwbl gyfreithlon iddi smygu os oedd hi'n dewis gwneud. Fedrai hi ddim dadlau gyda'r yfed, ond er mwyn y mawredd, nage hi oedd y gyntaf yn Ysgol Caeglas i yfed dan oed!

Doedd Steff dal ddim yn deall sut y gallai'r Prif ei diarddel hi.

"Wedodd e bod e'n disgwyl i ddisgyblion y chweched, yn arbennig disgyblion fel fi …" Doedd Gwen ddim hyd yn oed yn siŵr ei bod yn gwybod beth oedd disgyblion 'fel hi', "… fod yn esiampl i weddill yr ysgol. Dyw 'ysmygu' a mynychu tafarndai dan oed ddim yn rhywbeth mae e am weld disgyblion Ysgol Caeglas yn ei wneud, a thrwy 'niarddel i mae e'n '*gosod esiampl i weddill y disgyblion i beidio â bod mor ffôl â pheryglu eu hiechyd hwythau.*' So fe'n gwybod am y clwb nos fues i ynddo fe …"

"Ody e'n gallu diarddel rhywun am be ma nhw'n neud yn eu hamser sbâr, 'de?" gofynnodd Neil, yn dechrau sylweddoli gwir annhegwch y sefyllfa.

Atebodd Gwen ddim. Roedd yn amlwg fod y peth yn bosibl: wedi'r cyfan, roedd e newydd wneud hynny. Cynigiodd Steff y gallai hi fynd ag e i'r llys ond doedd

Gwen ddim yn gwerthfawrogi ei gyngor.

"Be sy'n digwydd nawr, 'de?" gofynnodd Gareth.

Roedd rhieni Gwen ar eu ffordd i'r ysgol eisoes. Ac roedd Jac ar y ffordd i'w chasglu hi. Doedd Gwen ddim yn barod i wynebu ei rhieni, ddim eto. Awgrymodd Gareth y dylent ddweud wrth ei rhieni ei fod e yn y dafarn gyda hi, ond roedd Gwen wedi tynnu digon o drafferth am ei phen heb dynnu rhywun arall i ganol y cawdel hefyd.

"Y peth gwaetha yw na na'th e ddim gryndo arna i byti'r blydi gyrrwr bws chwaith."

"Ie, ond *technically*, nagyw e'n yrrwr arnot ti rhagor …" meddai Steff, gan geisio bod yn ymarferol, ond yn llwyddo i roi'i droed ynddi unwaith eto.

Cyrhaeddodd Jac yn ei gar du newydd, a pharcio'n dwt wrth y gatiau. Roedd sbectol haul ddrud am ei drwyn a cherddoriaeth yn dianc drwy'r ffenest. Roedd Gareth yn ei gasáu fwy gyda phopeth newydd a ddysgai amdano.

"Licen i weld chi fory, bois," meddai Gwen, "ond …"

Doedd dim rhaid iddi ddweud rhagor. Teimlodd Gwen law ysgafn ar ei chefn. Lisa oedd yno.

"Sori i glywed byti … Mae e'n hollol annheg," meddai.

"Diolch," atebodd Neil ar ran Gwen. Roedd ei hegni hi wedi'i sugno ohoni.

"Weda' i 'ny wrth Miss Rhydderch, a'r Prifathro 'fyd … os ti moyn …" cynigiodd Lisa.

Edrychodd Gwen arni a chwerthin yn sur.

"Ti'n meddwl y galle un ferch fach o flwyddyn naw neud unrhyw wa'nieth?"

Doedd hi ddim wedi bwriadu swnio mor gas, ond doedd ganddi ddim awydd ymddiheuro chwaith.

Gollyngodd Lisa ei phen i guddio gymaint roedd Gwen

wedi ei brifo hi. Cyrhaeddodd Jac at y gatiau a diflannodd Gwen i sedd flaen y car a derbyn cusan a choflaid gan ei chariad. Gwingodd Gareth wrth iddynt sgrialu oddi yno.

Syllodd Gwen drwy'r ffenest yr holl ffordd adre, gan ddechrau sylweddoli mor serth oedd y mynydd y byddai'n rhaid iddi ei ddringo.

## Pennod 7

Ddwyawr yn ddiweddarach, eisteddai Gwen â'i chefn yn pwyso yn erbyn y rheiddiadur yn ei hystafell wely, pan glywodd hi'r allwedd yn troi yn nhwll y clo.

'Co ni off,' meddyliodd.

Braidd ei bod yn anadlu, rhag iddi hi dynnu sylw ati hi ei hun. Doedd ei rhieni ddim yn sgwrsio wrth ddod drwy'r drws, ac roedd hynny'n arwydd drwg.

"Gwen!" galwodd ei thad yn gyfeillgar o waelod y grisiau.

Doedd dim llais ganddi i ateb. Roedd ei llwnc yn grimp.

"Dere lawr, plîs, bach. Licen ni ga'l gair 'da ti."

A dyna fe, yr hyn roedd hi wedi bod yn ei ofni trwy'r prynhawn. Cafodd drafferth i godi o'i chuddfan; roedd pob grym biolegol yn ei herbyn hi, â'i chyhyrau a'i hesgyrn, pob rhan o'i chorff, fel petaent yn mynnu iddi aros yn ei hunfan. Ris wrth ris, difarai Gwen fwyfwy am nos Sadwrn.

Agorodd y drws a gweld ei rhieni yn eistedd wrth fwrdd y gegin, yn dal yn eu siwtiau gwaith. Trodd y ddau i edrych arni wrth iddi ddod trwy'r drws.

"Dere i ishte," meddai'i mam.

Gan deimlo fel merch fach eto, dyna'n union wnaeth Gwen. Llithrodd i'r gadair heb ei symud, gosod ei dwylo ar y bwrdd a darganfod bod ganddi'r diddordeb mwya rhyfeddol yn ei hewinedd.

"Ti'n gwbod ein bod ni'n dau wedi'n siomi 'not ti, Gwen.

’Sdim isie i ni weud ’ny ’thot ti.” Ond dweud wnaeth ei thad, a chynyddu diflastod ei ferch un lefel yn uwch.

“O’n i’n meddwl ein bod ni wedi dy fagu di’n well na ’ny,” meddai ei mam, bron iawn yn cymryd y bai arni hi ei hun.

“Ma gweud celwydd wrthon ni am ble o’t ti nos Sadwrn yn un peth, Gwen, ond ma smygu ac yfed yn rhywbeth arall.” Ei thad oedd wrthi nawr.

“Gwen, ma rhaid ti ddysgu bod yn ofalus. Ti’n peryglu dy hunan, bach.” Doedd y ‘bach’ ynganodd ei mam ddim yn nawddoglyd o gwbl, ond yn hytrach yn llawn cariad a phryder.

Parhaodd ei thad gyda’i bregeth. Roedd hi bron yn oedolyn nawr, ac os oedd hi am gael ei thrin fel oedolyn roedd yn rhaid iddi ddechrau ymddwyn fel oedolyn, a chymryd cyfrifoldeb drosti hi ei hun.

“Ma ’da ni ddisgwyliadau ohonot ti, Gwen. Ti’n ferch alluog. Ry’n ni wastad wedi bod yn gefn i ti, a bydd dy fam a fi yn parhau i dy gefnogi di beth bynnag ’yt ti’n dewis neud. Ti’n sylweddoli fod ’na siawns y byddi di’n gorfod rhoi’r ffidl yn y to nawr gyda dy gais i fynd i Rydychen neu Gaer-grawnt?”

Dyma un o’r pethau roedd Gwen yn ei gasáu fwyaf am ei rhieni. Oedd, roedd hi’n alluog – roedd pawb yn dweud hynny wrthi – ond roedd ei rhieni ers rhai blynyddoedd bellach wedi penderfynu mai Rhydychen neu Gaer-grawnt fyddai pinacl gyrfa academaidd eu merch. Doedd gan Gwen ddim diddordeb yn yr un o’r ddau le – doedd hi ddim hyd yn oed yn siŵr ei bod am fynd i’r Brifysgol o gwbl – ond fe benderfynodd aros am adeg gwell i ail-ddweud y syniad arbennig yma wrthynt.

"Ry'n ni wastad 'di bod mor agos, Gwen," meddai ei mam, yn credu'r hyn yr oedd yn ei ddweud. "Ti wastad wedi gweud popeth wrtha i." Celwydd eto, ond doedd Gwen ddim am ei chywiro. Lleia'n y byd a wyddai ei rhieni amdani, gorau i gyd, yn ei barn hi. "Gwen, cariad, os oes rhywbeth yn dy boeni di, 'na'r cyfan sydd eisiau yw i ti weud wrthon ni."

"O's rhywbeth yn dy boeni di, Gwen?" gofynnodd ei thad. Roedd yn amlwg yn aros am ateb.

"Na," meddai Gwen. O leia gallai roi ateb gonest iddo.

Ond doedd ei rhieni yn amlwg ddim yn ei chredu. Roedd yn rhaid bod rhywbeth tu ôl i'r ymddygiad gwyllt yma.

Mewn gwirionedd, doedd Gwen ddim yn wyllt o gwbl. Roedd hi'n mynd i'r ysgol, yn gwneud ei gwaith, yn ddisgybl da, yn ferch dda. Roedd hi hefyd yn mwynhau ambell i noson mas. Beth oedd o'i le ar hynny? Y peth arall oedd nad oedd yr ymddygiad yma'n beth newydd o gwbl. Roedd Gwen wedi bod yn gwneud hyn ers blwyddyn a mwy – yng nghwmni Ricky cyn Jac, a Siôn cyn Ricky. Y gwahaniaeth mawr oedd na chafodd hi ei dal o'r blaen.

"Ti'n siŵr, Gwen?" gofynnodd ei mam, yn edrych arni fel pe bai hi'n aros i'w hunig blentyn gwympo'n deilchion yn ei breichiau ac ymbil am faddeuant drwy'i dagrau.

"'Sdim byd, Mam. Wir," meddai Gwen yn gwta.

"Os 'yt ti moyn siarad – unrhyw bryd, cofia ..."

"Beth yw 'nghosb i, 'te?" gofynnodd Gwen. Roedd hi'n colli amynedd, er bod ei dychymyg yn rhemp. Roedd ganddi ryw syniad y byddent yn ei hanfon at seicolegydd. Doedden nhw ddim y teip i fynnu ei bod hi'n golchi'r llestri bob nos. Roedd peiriant ganddynt i wneud hynny beth bynnag.

Edrychodd ei mam a'i thad ar ei gilydd. Rhoddodd ei

mam arwydd i'w thad siarad.

"So ni'n mynd i dy gosbi di," meddai'n syml. Gallai Gwen weld swyddfa foethus y seicolegydd o'i blaen.

"Dy'n ni ddim yn gweld y byddwn ni ar ein hennill yn dy gosbi di yn yr achos yma," meddai ei mam, yn dal i orlifo â chydymdeimlad.

"Ry'n ni am i ti gymryd yr amser bant o'r ysgol i feddwl am yr hyn rwyt ti 'di neud," meddai ei thad. Tudalen tri deg saith o *Sut i fagu plentyn*, meddyliodd Gwen wrthi ei hun.

"... Ac i ystyried goblygiadau'r fath ymddygiad," ychwanegodd ei mam.

Roedd ei thad hefyd yn awyddus iddi barhau gyda'i gwaith ysgol. Roeddynt am wneud eu gorau i ddwyn perswâd ar Mr Morris, y Prifathro, i ganiatáu iddi ddychwelyd i Ysgol Gaeglas, ond pe byddai'n rhaid iddi symud ysgol, efallai y byddai'n rhaid iddi sefyll arholiad mynediad, felly doeddynt ddim am i'w hymennydd fynd yn segur.

"Iawn," meddai Gwen. Byddai wedi cytuno i wneud unrhyw beth erbyn hyn. Roedd hi ar dân i gael gadael yr ystafell.

"Ga i fynd nawr?" gofynnodd.

"Un peth arall," meddai ei mam. Dyma fe – y seicolegydd, neu waeth falle?

Gwaeth, meddyliodd Gwen, wrth i'w mam egluro eu bod am iddi ysgrifennu llythyr o ymddiheuriad i'r Prifathro ac i Miss Rhydderch. Roedd yn bwysig eu bod yn sylweddoli ei bod yn cwympo ar ei bai, yn ôl pob tebyg. Roeddynt hefyd yn awgrymu y dylai gadw draw oddi wrth ei ffrindiau am gyfnod, nes iddi setlo o leia. Doedden nhw ddim am ei hatal rhag eu gweld, ond gwyddai Gwen nad oedd modd iddi eu gweld chwaith. Fel hyn roedd ei rhieni – yn trio gwneud iddi feddwl ei bod yn rheoli ei bywyd ei hun wrth osod rheolau anhyblyg fel hyn.

Cododd Gwen a gadael y gegin.

Dihangodd i'w hystafell. Blydi llythyr! Blydi rhieni! Blydi hel! Taflodd ei hun ar y gwely gan ddyrnu'r glustog yn galed wrth gwympo.

## Pennod 8

Roedd sedd sbâr wrth fwrdd y criw yn y lolfa y bore hwnnw, a neb cweit yn siŵr lle i eistedd o'r herwydd. Ond roedd y gwagle newydd yn sicr yn fwy nag arwynebedd y gadair.

Doedd dim un o'r criw wedi clywed gan Gwen ers helyntion y diwrnod blaenorol – dim galwad ffôn, dim tecst, dim. Roeddynt i gyd, serch hynny, wedi treulio cryn dipyn o'u hamser yn poeni amdani hi.

"Falle bod ei rhieni wedi dwyn ei ffôn?" awgrymodd Steff.

"Sa i'n credu," meddai Gareth.

"Mae'n bosib," meddai Helen.

Roeddynt i gyd yn ceisio chwilio am reswm, yn ceisio egluro ei thawelwch, a hynny heb godi ofn arnyn nhw eu hunain.

Addawodd Gareth fynd draw i'w gweld ar ôl ysgol y prynhawn hwnnw, gan wneud yn siŵr y byddai yno cyn i'w rhieni ddod adref o'r gwaith, rhag ofn.

"Sa i'n gwbod beth weda i os wela i Miss Ast Add Gref heddi," meddai Neil. "Arni hi mae'r bai am hyn i gyd."

"Cadwa mas o'i ffordd hi," cynigiodd Helen. "Er dy les dy hunan."

Roedd Gareth yn gweld y sefyllfa'n gwbl hurt. Doedd dim hawl ganddynt i'w diarddel hi. Roedd pawb yn cytuno ag ef, ond dyna roedd y prifathro wedi ei wneud, ac mae'n debyg mai dyna'i diwedd hi. Roedd Helen yn benderfynol bod rhywbeth y gallen nhw ei wneud, ond doedd ganddi ddim syniad beth. Y cwbl a wyddai oedd fod yn rhaid iddo fe fod yn rhywbeth mawr neu'n rhywbeth clyfar, yn rhywbeth na allai'r athrawon ddod i wybod amdano. Yn sydyn, neidiodd Helen ar ei thraed.

"Wy'n gwbod," meddai. "Deiseb!"

"Beth?" meddai Steff yn ddiog.

Eisteddodd Helen gan ei wynebu i egluro.

"Casglu enwau ar ddeiseb. Cael y disgyblion i gyd i arwyddo, i ddweud ein bod ni fel corff o ddisgyblion yn mynnu bod yr ysgol yn caniatáu i Gwen ddod nôl." Roedd y peth mor amlwg.

"Bydde'r athrawon yn ffindo mas," meddai Gareth yn gall.

"Oes ots?" gofynnodd Helen. "Bydden nhw'n ffindo mas yn y diwedd, on' bydden nhw?"

"Bydden nhw'n 'yn stopo ni," meddai Gareth, oedd yn ymddangos fel pe bai e eisoes wedi cymryd lle Gwen fel yr aelod o'r criw oedd wastad yn iawn.

Doedd y bois ddim mor awyddus â Helen. Roeddynt yn gwybod y byddai'r athrawon yn ochri gyda Miss Rhydderch a'r Prifathro, ond doedd Helen ddim am roi'r gorau iddi. Roedd yn rhaid iddynt gael Gwen yn ôl i Gaeglas – doedd y lle ddim yr un peth hebddi.

Daeth cnoc ar ddrws y lolfa ac aeth Neil i'w ateb. Rhys a Rhodri oedd yno, ond naethon nhw ddim rhedeg bant wrth weld eu gelyn.

Rhys oedd y cyntaf i agor ei geg, yn ôl yr arfer.

"O's rhywbeth allwn ni neud?" gofynnodd.

"Beth?" gofynnodd Neil yn ddiamynedd.

"I helpu Gwen?"

"Wy'n ame 'ny," meddai Neil yn fygythiol.

"Reit," meddai Rhodri, a throdd y ddau ar eu hunion a brysio oddi yno.

"Do'dd dim syniad 'da fi ei bod hi mor boblogaidd," meddai Steff. "Beth byti ti, Gareth?" gofynnodd yn chwareus.

"Cer i'r diawl!" meddai Gareth, gan osgoi'r cwestiwn yn fwriadol.

Roedd y pedwar yn dawel am eiliadau hir. Doedd ganddyn nhw ddim syniad rhyngddynt. Roedd Gareth yn awyddus i helpu Gwen, i gael bod yn gyfrifol am achub ei gyrfa ysgol, ond roedd ei feddwl yn hollol wag, heb ddim un syniad gwael yno hyd yn oed, heb sôn am un fyddai'n gweithio.

"Mae 'da fi syniad!" meddai Steff yn sydyn. "Mae'n *brilliant*!"

Syllodd y criw arno, gan ddisgwyl eglurhad pellach. Gostyngodd Steff ei lais, a chuddio'n isel ar y bwrdd, fel pe bai arno ofn bod rhywun yn gwrando. Ffugiodd Neil chwilio am gamerâu cudd yn nenfwd y lolfa, cyn i Steff ddechrau siarad.

"Pwy sydd â gwers rydd ar ôl egwyl?" sibrydodd Steff.

"Fi." Helen oedd yr unig un atebodd. "Pam?"

"Der i gwrdd â fi yn yr ystafell gyfrifiaduron. Byti cwarter wedi."

"I be?" gofynnodd Helen.

"Gei di weld," meddai Steff a rhoi winc iddi.

Doedd Helen ddim yn siŵr a ddylai hi boeni am Steff neu beidio. Cododd yntau a diflannu drwy ddrws y lolfa gan ddweud, "Mae'n berffaith, bois. Fi'n *genius*!" Yna, trodd yn ôl yn sydyn a sibrwd, "Hels," mor dawel, braidd ei bod yn gallu ei glywed, "dere â *marker pen* 'da ti 'fyd."

"Pam?" gofynnodd Helen.

Rhoddodd Steff winc arall iddi, taro ochr ei drwyn, edrych dros ei ysgwydd a dianc am y coridor.

Siglodd Helen ei phen. "Ffrîc!" meddai, yn dechrau poeni o ddifri bod Steff, o'r diwedd, wedi'i cholli hi.

## Pennod 9

Sylwodd Helen fod y coridorau'n gwbl wag wrth iddi adael yr ystafell gelf gyda *marker pen* du yn ei llaw. Diolch byth nad oedd Mr Prys wedi dechrau ei holi'n dwll. Roedd Helen wedi sylwi bod athrawon yn dueddol o wneud hynny lai a llai gyda disgyblion y chweched.

Cuddiodd Helen y pen ym mhoced ei throwsus, a cherddodd yn gyflym tuag at doiledau'r merched. Doedd hi ddim yn gwybod pam, ond roedd hi'n teimlo'n reit nerfus, ac edrychai dros ei hysgwydd byth a hefyd i weld a oedd rhywun yn ei dilyn. Roedd ganddi bob hawl i fod ar y coridorau fel hyn – roedd hi'n ddisgybl yn y chweched ac roedd ganddi wers rydd; pam felly bod ei chalon yn curo mor gyflym? Dylanwad Steff, meddyliodd, a chwerthin wrthi hi ei hun, cyn cymryd un cipolwg o'i chwmpas eto, a diflannu drwy ddrws y toiledau.

Roedd un ferch yn golchi'i dwylo wrth y sinc, ond heblaw am hynny roedd y toiledau'n hollol wag. Diolch byth, meddyliodd Helen. Roedd y ferch yn cymryd gormod o lawer o amser i olchi ei dwylo, ac roedd Helen yn siŵr ei bod yn edrych yn amheus wrth iddi gerdded i mewn i un ciwbicl, yna cerdded allan eto bron yn syth gan esgus nad oedd yno bapur tŷ bach, neu glo, neu bod rhywun wedi gadael ei hôl yn y bowlen. Ar ôl iddi wneud hyn am y trydydd tro, collodd Helen amynedd. Roedd yn rhaid iddi fynd nawr!

"Nago's gwers 'da ti?" gofynnodd yn hallt wrth y ferch.

"Ar y ffordd," meddai hithau a chamu'n ôl oddi wrth y sinc i'w hastudio'i hun yn y drych. Gwyliodd Helen hi'n ofalus, â'i breichiau wedi eu plygu ar draws ei brest wrth iddi drio'i gorau i edrych yn fygythiol. O'r diwedd, gadawodd y ferch, ac aeth Helen yn syth i'r ciwbicl cyntaf.

Caeodd y drws a thynnu'r clo ar ei hôl. Caeodd gaead y toiled ac eistedd arno. Tynnodd y pen o'i phoced ac edrych arno am rai eiliadau, cyn tynnu'r caead a dechrau ar ei gwaith.

Gorffennodd yn sydyn, ac ar ôl y cynta roedd y gweddill yn hawdd. Sgipiodd i mewn ac allan o un ciwbicl i'r llall. Dechreuodd boeni lai a llai. O dipyn i beth anghofiodd gloi'r drysau, ac yna anghofiodd eu cau hyd yn oed! Roedd pob un ciwbicl wedi ei orffen mewn llai na deng munud. Gosododd Helen y caead yn ôl ar y pen, ei guddio'n dwt yn ei phoced, a chamu allan unwaith eto i'r coridor gwag.

* * *

Yn nhai bach y bechgyn, doedd Steff ddim yn sgipio o un ciwbicl i'r llall. Ddim o bell ffordd. Yn hytrach roedd e'n cloi'r drws y tu ôl iddo, yn gwneud yn siŵr ei fod wedi'i gloi'n iawn, yn tsiecio uwch ei ben a thu ôl iddo, cyn ysgrifennu ei neges yn gyflym. Roedd yn tynnu'r fflysh, yn agor y drws yn araf, yn pipo'i ben rownd ochr y drws, ac yna'n rhuthro i'r ciwbicl nesaf i ailadrodd y rigmarôl.

Teimlai fel aelod o'r SAS; dymunai beintio ei wyneb yn guddliw du a gwyrdd, ond doedd dim angen gan nad oedd neb o gwbl yn y tai bach.

Roedd wedi gobeithio y gallai ledaenu ei neges wrth y

sinc ac o dan y drych hefyd ond doedd ganddo mo'r hyder i wneud. Brysiodd allan o'r toiledau, ac atgoffa'i hun i ofyn i Neil i wneud y sinc nes 'mlaen.

Roedd Helen yn aros amdano yn y coridor, yn gwylio rhag ofn i athrawon ddod heibio, ac wrth ei phasio, gwthiodd Steff y *marker pen* i'w llaw yn dawel a chyflym. Roedd yn broffesiynol. Ynganodd e 'run gair wrthi. Rhuthrodd yn ôl i'r ystafell gyfrifiaduron cyn i unrhyw un sylweddoli ei fod wedi mynd.

* * *

Canodd y gloch ar ddiwedd y wers Ffrangeg. Gafaelodd Gareth yn ei feiro a sgriblo un nodyn olaf ar dudalen o'i lyfr sgrap. Rhwygodd y dudalen o'r llyfr ac edrych eto ar yr hyn a ysgrifennodd, cyn plygu'r darn papur yn ofalus a'i osod ar y gadair y tu ôl iddo.

Cododd ar ei draed, rhoi ei lyfrau yn ei fag, a gadael yr ystafell ddosbarth heb edrych nôl.

* * *

Yn y ffreutur amser cinio, roedd Neil yn y ciw tu ôl i Rhys. Doedd Rhys ddim wedi sylwi arno, ac yn ôl ei arfer, roedd yn chwarae'r diawl. Roedd bag Rhys ar ei ysgwydd, ac aeth Neil ato a rhoi ei law yn drwm ar y bag. Rhewodd Rhys, a phlygodd Neil i gael gair yn ei glust.

"Sa i isie gorfod dy rybuddio di 'to," meddai, yn beryglus o dawel. "Ry'n ni'n dou'n gwbod be alle ddigwydd."

Roedd cymaint o ofn ar Rhys dan bwysau dwrn Neil fel na sylwodd e ddim ar ei law rydd yn agor zip ei fag ac yn gollwng nodyn i mewn iddo.

* * *

Yn y lolfa, roedd Steff wrthi'n berwi'r tegell. Daeth Helen i mewn a gwenu arno. Yn fuan ar ei hôl, daeth Gareth a Neil i mewn, â gwên gyfrinachol ar wynebau'r ddau. Diflannodd y baich oddi ar ysgwyddau Steff wrth iddo wenu'n wybodus yn ôl arnynt a sylweddoli eu bod wedi llwyddo. Doedd dim rhaid i'r un ohonynt ddweud gair, roeddynt i gyd yn gwybod. Ac erbyn diwedd y dydd byddai pawb arall yn gwybod am fodolaeth graffiti.com hefyd.

## Pennod 10

Gorweddai Gwen ar ymyl ei gwely â'i gwallt hir tywyll yn llifo dros yr erchwyn wrth iddi ymestyn i godi un o'r siocledi o'r bocs wrth draed Gareth. Ganddo fe y cafodd hi'r siocled, ar ran y criw i gyd, yn arwydd eu bod yn cofio ati, yn ôl Gareth – er bod Gwen yn amau na wyddai'r gweddill am fodolaeth y bocs siocledi o gwbl.

Roedd hi'n chwerthin yn braf wrth i Gareth adrodd hanes Steff druan yn yr ymarfer rygbi amser cinio. Daeth e yn ei siorts, chwarae teg iddo fe, wedi lapio *sellotape* rownd ei ben ac wedi dod o hyd i *gumshield* o rywle hefyd, felly pe bai e'n fyrrach a bod yr awgrym lleia o gyhyr – neu fraster hyd yn oed – ar ei gorff, bydde fe wedi edrych fel chwaraewr profiadol. O fewn pum munud, roedd Steff druan yn wlyb o chwys ac yn cael trafferth anadlu, a hynny cyn iddyn nhw ddechrau gyda'r bêl! Ond chwarae teg iddo fe, fe ddaliodd ati tan y diwedd un. Yn ôl Gareth, byddai Steff wedi marw cyn bodloni i adael y cae, ac fe fynnodd y byddai yn yr ymarfer eto ddydd Iau.

"Falle mai 'na beth sy isie arna i," meddai Gwen.

"Beth?" gofynnodd Gareth.

"Chydig o frwdfrydedd Steff!" meddai. "Chwarae teg iddo fe! Mae e'n ymroi i bopeth mae'n ei neud."

"Wy'n siŵr roith e fenthyg peth i ti os ti moyn. Ma digon dag e i'w sbario!"

A chwarddodd Gwen eto – sain hir melys, â sbarc bach yn

dawnsio yn ei llygaid wrth i'w gwallt gwympo'n is dros ochr y gwely a goglais ei draed.

Roedd Gareth wrth ei fodd. Wrth ei fodd yn edrych arni, wrth ei fodd yn siarad â hi, wrth ei fodd yn ei chwmni. Wrth ei fodd yn gwneud iddi chwerthin. Dymunai i'r foment rhwng y ddau ohonynt bara am byth.

Sylwodd fod yr ystafell yn dawel eto. Roedd chwerthin hudol Gwen wedi darfod, a phan edrychodd arni roedd ei meddwl ymhell.

"Ti'n dipyn o seléb yn 'rysgol nawr," meddai Gareth wrthi.

Roedd Gwen yn eitha hoff o'r syniad yma.

"O'dd pawb ar y bws yn sôn am graffiti.com ar y ffordd gytre. Wedodd Steff bod cwpwl o enwau ar y ddeiseb yn barod."

"'Yt ti 'di'i harwyddo hi 'to?"

"Ddim 'to … heno … wy'n addo …"

"Well i ti neud!" meddai Gwen, gan bwyntio bys ato'n chwareus.

Ar y dechrau, roedd Gareth yn ofni na fyddai Gwen yn croesawu syniad y wefan – doedd hi ddim yn un a hoffai i eraill frwydro ar ei rhan. Ond roedd hi i'w gweld yn ddigon hapus gyda'r trefniant. Roedd hi'n hen bryd i rywun ddysgu gwers i'r hen ast fusneslyd Add Gref yna, yn ei barn hi, ac roedd Graffiti yn ffordd berffaith i wneud hynny. Addawodd edrych ar y wefan yn nes ymlaen.

Roedd Gareth mor falch bod Gwen wedi'i phlesio. Mwythodd hithau ei wallt, "Diolch, Gar," meddai'n garedig. Cododd y gwres i'w fochau mor gloi fel yr ofnai y byddai'n llosgi ei bysedd.

"O's rhywbeth arall ti moyn i mi neud i ti, Gwen?"

gofynnodd yn driw.

Llenwodd cyfres o bedwar bîp yr ystafell cyn iddi gael cyfle i'w ateb, a throdd Gwen fel chwyrligwgan i estyn ei ffôn o'r tu ôl iddi ar y gwely.

Roedd Gareth yn dyst i'r emosiwn a'i lloriodd, a gwyddai mai neges gan Jac oedd newydd gyrraedd.

**JAC:** `Moyn gweld ti. Heno x`

Trodd Gwen ato, bron â bod yn anwesu'r ffôn yn ei chôl, fel pe bai Jac yn byw yn ei grombil. Edrychodd i fyw llygaid Gareth, ac fe doddodd yntau drwyddo.

"Mae 'na un peth ..."

Gwyddai Gareth beth oedd yn dod eisoes. Roedd Gwen am iddo ddweud wrth ei rhieni ei bod yn dod draw i'w dŷ e heno, i gopïo rhyw nodiadau neu'i gilydd. Ceisiodd Gareth ei darbwyllo na fyddai hynny'n gweithio gan eu bod yn astudio pynciau gwahanol, ond Gwen oedd yr un i'w atgoffa nad oedd ei rhieni'n gwybod hynny, a gwyddai na allai ei gwrthod, er ei fod yn gwbl ymwybodol ei bod yn ei ddefnyddio er mwyn cael gweld Jac.

Tyfodd llygaid tywyll Gwen wrth iddi edrych arno. Cnodd ei deuddant blaen ei gwefus isaf yn ysgafn wrth iddi ddisgwyl am ei ateb. Roedd cytuno yn torri ei galon.

"Ocê," meddai'n wan.

Gwichiodd Gwen a neidio oddi ar y gwely i roi cwtsh tyn iddo. Am eiliad, bron fod cytuno wedi talu'i ffordd.

"O, Gar! Ti werth y byd!"

"Bydd yn ofalus," meddai wrth sylwi ar arogl hyfryd ei gwallt.

Llaciodd Gwen ei gafael ac edrych arno'n ddireidus.

"'Bach o hwyl yw e."

"'Na beth o'dd nos Sadwrn i fod 'fyd, cofia."

"*Chill out,* myn – ti fel hen ddyn!" meddai Gwen. Yr un hen Gwen eto, yr un roedd e'n ei nabod ers blynyddoedd bellach.

Wrth iddo gerdded adref, roedd Gareth yn wallgo. Gallai deimlo'i dymer yn agos iawn i'r wyneb, bob hyn a hyn yn tywallt ychydig bach mwy dros yr ymyl. Nid gyda Gwen yr oedd e'n grac, er iddi lwyddo i'w droi o gwmpas ei bys bach unwaith eto, ond gyda fe ei hunan am ganiatáu iddi wneud hynny. Doedd e jyst ddim yn gallu dweud 'na' wrthi.

Roedd y peth yn chwerthinllyd. Y peth olaf ar wyneb daear yr oedd ar Gareth ei eisiau oedd i berthynas Gwen a Jac ddatblygu. Ac roedd e newydd daflu'r ddau at ei gilydd, fwy na heb. Man a man iddo gynnig arwain bendith eu priodas! A heno, byddai Gwen yng nghwmni Jac, yn chwerthin ar ei hanesion e, yn mwytho'i wallt e, yn ei gofleidio fe. Roedd y boen yn bwyta Gareth yn fyw. Roedd e am sgrechen, am fwrw wal a chwalu gwydrau, am wneud rhywbeth oedd yn brifo ar yr wyneb, ddim y tu mewn fel hyn.

Rhegodd dan ei wynt a sythu ei gefn.

Reit, meddyliodd. Dyma'r tro olaf. Y tro olaf un roedd am adael iddi ei frifo. Byth eto. Fyddai Gwen Smithfield ddim yn cael gwneud ffŵl ohono fe. Roedd yn rhaid iddo galedu, troi'r slwtsh y tu mewn iddo'n graig. Cael gwared ar y gair 'myg' oedd yn amlwg wedi'i sgrifennu mewn llythrennau bras ar draws ei dalcen.

## Pennod 11

Roedd hi'n hwyr ac yn dywyll ers tro ac roedd Neil wedi blino wrth iddo droi i'r stryd a cherddded tuag at y tŷ. Sylwodd fod mymryn o olau yn diferu heibio'r llenni yn y lolfa, ond fel arall roedd y tŷ yn gwbl dywyll. Wrth agor y drws clywodd sŵn y teledu'n bloeddio cerddoriaeth.

"Helô!" galwodd, gan gymryd yr anadl ddofn arferol wrth gyrraedd adre.

"Mewn fan hyn!" atebodd Simon o'r lolfa.

Aeth Neil i mewn ato. Roedd Simon yn gorwedd ar lawr, â'i lyfrau ysgol wedi'u taenu o'i amgylch, wrthi'n gwneud ei waith cartref ac yn gwylio MTV 'run pryd. Doedd eu tad ddim adref ac nid oedd Simon wedi ei weld drwy'r nos.

"Well i ti glirio'r llyfrau 'na," meddai Neil wrth ei frawd, ac fe gododd yntau a dechrau eu gosod yn bentwr taclus.

"Ma post 'di cyrraedd i ti," meddai Simon wrth ei frawd mawr, ac aeth Neil drwodd i'r gegin.

Sylwodd Neil yn syth ar yr olion jam a menyn a'r briwsion oedd yn gorchuddio'r bwrdd a llawr y gegin. "'Co'r mès mewn fan hyn!" meddai wrth fartsio'n ôl i'r lolfa.

"O'n i'n starfo," meddai Simon

"Allet ti ddim fod wedi clirio ar dy ôl, 'te?" gwaeddodd Neil gan droi ar ei sawdl a mynd yn ôl i'r gegin i chwilio am glwtyn.

Neidiodd Simon ar ei draed a'i ddilyn. "'Na i gyd nes i

o'dd brechdan jam!" meddai.

"Alla i weld 'ny!" atebodd Neil wrth wlychu'r clwtyn a dechrau casglu'r briwsion yn ei law.

"Sa i moyn gneud bwyd fy hunan bob nos, sa i moyn bod ar ben 'yn hunan yn y tŷ bob amser," gwaeddodd Simon, cyn ychwanegu, "A bydden i ddim yn gneud mès pe bai rhywun arall 'ma i wneud bwyd i mi!"

Teimlodd Neil boen euogrwydd yn pigo yn ei frest, ond roedd yn rhaid iddo weithio, a siawns bod ei frawd bach yn deall hynny.

"Doedd pethau ddim fel hyn pan o'dd Mam 'da ni," gwaeddodd Simon eto cyn diflannu'n ôl i'r lolfa i guddio'i ddagrau.

Gyda'r clwtyn gwlyb yn ei law, aeth Neil ar ei ôl, a'i ddarganfod yn casglu ei lyfrau yn ei freichiau. Eisteddodd Neil ar ymyl y soffa ac edrych arno. "Sim … so Mam 'ma rhagor," meddai'n dawel. Edrychodd Simon ddim arno. "Ma rhaid i ni neud y gore o bethe fel ma nhw."

Cododd Simon ar ei draed, gyda'i lyfrau yn ei law, a diflannu trwy ddrws y lolfa. Clywodd Neil sŵn ei draed yn dringo'r grisiau a drws ei ystafell wely yn cau'n glep.

Aeth Neil yn ôl i'r gegin. Gwlychodd ei glwtyn a sgwrio'r bwrdd. Tynnodd y brwsh o'r cwpwrdd dan grisiau a sgubo'r llawr, cyn ei olchi. Cymerodd y post oddi ar y silff ffenest a mynd i'r lolfa i'w ddarllen tra oedd wrthi'n aros i'r llawr sychu.

Diffoddodd y teledu. Doedd e ddim yn gallu godde'r sŵn. Dim heno. Agorodd yr amlen gyntaf, oedd wedi'i chyfeirio at ei dad. Bil trydan. Rhybudd olaf hefyd. Stwffiodd Neil y bil i'w boced. Aeth yn ôl i'r gegin. Caeodd y drws yn dawel iawn ar ei ôl a chamu'n ofalus ar fannau sycha'r llawr tuag at y boiler yn y gornel.

Arhosodd am eiliad i wrando a oedd Simon yn dal ar ei draed, ond doedd dim sŵn o gwbl lan lofft.

Cyfrodd y briciau tu ôl i'r boiler – un … dwy … tair – ac wrth iddo estyn am y bedwaredd, symudodd y fricsen yn ei law. Tynnodd Neil hi oddi yno a'i gosod ar ben y boiler. Yna estynnodd i grombil y twll a thynnu hen amlen frown lychlyd oddi yno. Agorodd yr amlen. Roedd hi'n wag.

Damia! meddyliodd Neil. Roedd ei gyflog i gyd wedi mynd. Bron i ganpunt ohono. Gwyddai'n iawn lle roedd ei arian erbyn hyn. Tu ôl i un o fariau niferus y dre, diolch i'w dad. Stwffiodd yr amlen wag yn ôl i'r twll a gosod y fricsen yn ôl. Gwaeddodd ar Simon o waelod y grisiau i ddweud ei fod yn mynd mas, gwisgodd ei got eto a chychwyn allan i oerfel tywyll y nos.

Roedd golau ymlaen yn y siop o hyd, a Mr Patel yn ei gwrcwd yn llenwi silff â thuniau bwyd. Doedd neb arall o gwmpas, diolch byth. Pesychodd Neil a throdd Mr Patel i edrych arno.

"Anghofiest ti rywbeth, Neil?" gofynnodd.

"Na, dim byd, Mr Patel. Cofio 'mod i eisiau gofyn ffafr wnes i."

Cododd Mr Patel ei ael yn amheus.

Dechreuodd Neil ar ei gelwydd, gan ddweud wrth berchennog y siop fod pen blwydd ei dad drannoeth, a'i fod am brynu anrheg arbennig iddo. Roedd yn casáu gorfod gofyn, ond gofyn a wnaeth. Gofyn am fenthyciad, cyn i'w lais ddiflannu. Dim ond deuddydd yn ôl y cafodd Neil ei dalu, a gwyddai Mr Patel hynny'n well na neb.

"Dylet ti fod yn fwy gofalus gyda dy arian," meddai.

Ceisiodd Neil guddio ei siom. Doedd Mr Patel ddim am

roi'r benthyciad iddo. Sut oedd disgwyl i Mr Patel wybod fod Neil yn ofalus iawn gyda'i arian? Ei fod yn arbed pob ceiniog i dalu biliau a phrynu bwyd. Ei dad oedd wedi yfed ei gynilion, ond ni allai ddatgelu hynny i Mr Patel.

"Gewch chi dynnu fe mas o 'nghyflog nesa i," meddai Neil, gan roi un cynnig olaf arni.

"Faint sydd isie arnot ti?"

"Tri deg punt," meddai Neil, yn gwneud sym gyflym yn ei ben. Byddai hynny'n ddigon i dalu'r bil ac i gadw Simon mewn bîns ar dost nes y deuai'r cyflog nesaf. Cododd Mr Patel ar ei draed a sefyll y tu ôl i'r cownter i werthu potel win i gwsmer oedd newydd gyrraedd. Gwenodd Neil arno'n wan. Talodd y cwsmer, a diflannu. Agorodd Mr Patel ddrôr y til, a rhoi'r newid mân yn araf yn y blychau cywir. Aeth i gau'r drôr ond yna ailfeddwl. Agorodd hi eto, a chymryd un papur deg ac un papur ugain ohono. Cynigiodd yr arian i Neil, oedd yn sefyll gyda'i law drachwantus yn barod i'w dderbyn.

Ar yr eiliad olaf un cyn i'r arian ddisgyn i law Neil, tynnodd Mr Patel y papurau'n ôl, a dweud, "Fi moyn i ti ddeall un peth, Neil. Dyma'r tro cynta a'r tro ola wy'n neud hyn."

"Wrth gwrs," meddai Neil.

"Ac nid anrheg yw e. Rwy'n ei gymryd e mas o dy gyflog nesa di."

"Iawn," meddai Neil, yn teimlo fel plentyn.

Teimlodd yr arian yn gynnes yn ei law, a'i stwffio i'w boced.

"Diolch yn fawr i chi," meddai Neil yn dawel. Ni allai godi ei lygaid i gwrdd â rhai Mr Patel.

"Nawr cer gytre," meddai Mr Patel. "Ma shifft 'da ti yn

bore, a wy'n ame bod 'bach o siopa 'da ti i'w neud gynta!"

Siopa? Cofiodd Neil am anrheg pen blwydd ei dad. O leia gallai ddweud iddo brynu mis arall o drydan iddo eleni.

Camodd Neil allan i'r stryd, a mynd am adre ling-di-long. Roedd wedi ymlacio rywfaint erbyn hyn, diolch i'r arian yn ei boced.

Roedd y tŷ'n llethol o dawel wrth iddo gyrraedd yn ei ôl. Roedd llawr y gegin wedi sychu, diolch byth, a diffoddodd Neil y golau yn y lolfa, cyn dringo'r grisiau. Aeth at ddrws ystafell Simon a chnocio. Gwyddai ei fod dal yn effro; gallai weld golau ei lamp yn disgleirio o dan waelod y drws. Ddaeth dim ateb. Cnociodd Neil yn ysgafn eto, a mynd i mewn.

Gorweddai Simon ar ei wely â'i gefn tuag y drws, yn esgus darllen rhyw lyfr. Roedd e wedi bod yn syllu ar yr un dudalen ers hanner awr a mwy ond doedd dim un gair wedi ei brosesu'n iawn. Dechreuodd Neil ymddiheuro iddo, gan ddefnyddio'r un hen esgus tila o fod wedi blino, ond nad Simon oedd i'w feio am ei flinder.

"Ti ffansi tro ar y gêm newydd 'ma, 'te?" holodd Simon, yn amlwg yn dechrau maddau i'w frawd am ei ddicter. "Enillais i yn erbyn Owen saith gwaith dros y penwythnos. So fe'n fodlon chwarae 'da fi 'to!"

Cododd Neil oddi ar ymyl y gwely ac aeth y ddau draw i ystafell Neil ac at y cyfrifiadur. Wrth iddo droi'r peiriant 'mlaen, awgrymodd Simon y dylent edrych ar Graffiti i weld sawl enw oedd ar y ddeiseb. Cytunodd Neil, a gwrando ar ei frawd yn egluro manylion y gêm wrth iddynt aros i'r wefan lwytho.

"Blydi hel!" meddai Neil, a sgrowlio lawr y dudalen.

"Waw!" meddai Simon wrth iddo sylwi ar hyn oedd ar y

sgrin.

"Bydd Gwen wrth ei bodd," meddai Neil.

Roedd dros ddau gant o enwau ar y ddeiseb, ac roedd Neil a Simon ar fin ychwanegu dau arall.

Gwenodd y ddau ar ei gilydd cyn dechrau teipio.

## Pennod 12

Wythnos union wedi i Gwen gael ei diarddel, camodd Neil i'r lolfa chwarter awr ar ôl i'r gloch ganu i ddynodi dechrau'r wers gyntaf.

Steff oedd y cynta i sylwi arno. "Ti'n hwyr!" meddai.

"Be ddigwyddodd i ti?" gofynnodd Helen.

"Nosweth hwyr neithiwr," atebodd Neil.

"Dy foch di," meddai Helen.

"O!" meddai Neil. "Hwnna …"

Roedd boch Neil yn glytwaith o gleisiau ffres. Daliodd ei ben yn isel a dweud wrth Helen ei fod wedi cerdded i mewn i silff lyfrau.

"Idiot," meddai Gareth.

"Ody e'n brifo?" gofynnodd Helen.

Oedd, mi oedd e'n brifo. Lot. Ond doedd e ddim ar fin cyfaddef hynny. Agorodd ei locer a chuddio'i wyneb yn gyfleus y tu ôl i'w ddrws.

"Barod?" gofynnodd Steff.

Eisteddodd pawb mewn rhes a gwrando'n astud arno. Roedd mil a dau ddeg dau o enwau ar y ddeiseb. Roedd bron bob disgybl yn yr ysgol wedi ei harwyddo i gefnogi Gwen a phrofi eu bod yn casáu Miss Rhydderch Add Gref.

Trodd Gareth at Steff ac ysgwyd ei law i'w longyfarch. Roedd yn rhaid iddo gyfaddef bod y wefan yn un o'r syniadau gorau gafodd e erioed.

"Wy 'di gweud e o'r bla'n a 'na i 'i weud e 'to … Fi'n

*genius*!"

"Ti mor ddiymhongar, Steff," meddai Neil o'r tu ôl i ddrws y locer.

Aeth Steff yn ei flaen i egluro'r camau nesaf. Roedd e eisoes wedi cael gafael ar gyfeiriad e-bost personol y Prifathro ac roedd e'n gwbl ffyddiog na fyddai modd olrhain y wefan yn ôl at yr un ohonyn nhw.

Daeth blîp i ddynodi fod tecst wedi cyrraedd i ffôn Gareth, a darllenodd yntau'r neges.

"Gwen," meddai, cyn pasio'r ffôn o un i'r llall iddynt gael gweld ei neges.

"Lan yn gynnar ar *day off,* nagyw hi?" meddai Steff.

**GWEN:** Pob lwc heddi. Gwed diolch i bawb wrtha i. A diolch am noson o'r blaen. Ges i a Jac noson amazing! G x

Sylwodd Helen ar y tristwch newydd yn llygaid Gareth, ond penderfynodd beidio â dweud dim. Pasiodd y ffôn ymlaen i Steff.

"Dal yn gweld y boi Jac 'ma, 'te?" gofynnodd.

"Edrych fel'ny, nagyw e?" meddai Neil wrth ddarllen y neges.

"Reit," meddai Steff. "Helen, ti'n helpu fi; Gar, ti ar y drws, a Neil, ti ar y coridor fel *look-out*, ocê?"

Roedd pob un ohonynt yn fwy na chyfarwydd gyda'r trefniadau, diolch i Steff, er ei fod wedi gorfod eu haddasu rywfaint gan fod Neil mor hwyr.

"Pwy mor hir sy isie 'not ti?" gofynnodd Gareth.

"Pum munud," meddai Steff cyn edrych ar ei wats a

chyfri'n ôl o ddeg.

"Reit, nawr!" meddai, a thynnu Helen gydag e, tra dilynodd Neil a Gareth yn ling-di-long ar hyd y coridor mewn ymdrech i beidio â thynnu sylw'r athrawon atynt.

## Pennod 13

Roedd y criw wedi casglu yn nhŷ Gareth. Neil, yn ôl ei arfer, oedd yr olaf i gyrraedd yno er iddo ofyn am gael gorffen ei shifft yn gynt nag arfer, ond roedd pawb mewn hwyliau da. Roedd Gareth wedi trefnu'r parti bach i ddathlu fod Gwen yn cael dychwelyd i'r ysgol y bore canlynol. Roedd y wefan a'r ddeiseb wedi gweithio'n effeithiol iawn!

"Hei! Croeso nôl," meddai Neil wrth gerdded trwy ddrws y lolfa.

"I chi ma'r diolch am 'ny," meddai Gwen. Cliriodd Steff ei lwnc. "Ocê, ocê, diolch i syniad ffantastig Steff yw 'ny," chwarddodd, gan gywiro ei chamgymeriad.

"A phaid ti anghofio 'ny!" meddai yntau.

Eisteddodd Neil ar y llawr ac aros i glywed yn union beth ddigwyddodd. Roedd gweddill y criw wedi clywed y stori unwaith, wrth gwrs, ond roedden nhw'n fwy na pharod i wrando ar Gwen yn ailadrodd pob manylyn.

Ffoniodd y Prifathro Gwen yn y tŷ yn ystod y prynhawn i ddweud wrthi ei fod wedi derbyn deiseb anhysbys yn ei chefnogi hi a'i chais i ddychwelyd i'r ysgol. Roedd e am gwrdd â hi a'i rhieni y prynhawn hwnnw wedi i'r plant adael yr ysgol, i drafod y mater ymhellach.

Aeth Gwen a'i rhieni i'r ysgol erbyn pedwar, ac erbyn pump roedd popeth wedi'i setlo.

Doedd y Prif ddim am iddi feddwl ei fod yn talu sylw i unrhyw ddeiseb, ond credai ei bod wedi cael digon o amser i ystyried yr hyn ddigwyddodd ac i sylweddoli mor ffôl y bu hi. Doedd yr ysgol ddim yn barod i dderbyn y fath ymddygiad, ac roedd hi wedi cael ei rhybudd olaf.

Ar ben hynny, dywedodd wrthi y dylai basio neges i'r rhai oedd yn gyfrifol am y wefan, os oedd hi'n digwydd gwybod pwy oeddynt. Os digwyddai'r Prif ddod i wybod pwy oeddynt, byddai'n eu cosbi hwythau hefyd.

Trodd y pedwar i edrych ar Steff.

"Onest nawr, 'sdim un ffordd y gall Morris ffindio mas," meddai yntau, yn llawn hyder yn ei allu ei hun i guddio'i drywydd cyfrifiadurol.

"Wrth gwrs ei fod e'n talu sylw i'r ddeiseb," meddai Neil, wedi cael cyfle i ystyried yr hyn ddywedodd Gwen wrtho.

"'Na'n gwmws beth wedes i," meddai Helen.

"Beth ambyti Miss Rhydderch?" gofynnodd Neil.

Roedd Gwen wedi ei rhybuddio i beidio â mynd yn agos ati, ddim ar unrhyw gyfri.

Plygodd Gwen ac estyn pedwar paced o losin o'i bag. Taflodd un yr un iddynt, gan ddweud ei bod wedi eu prynu iddynt fel anrheg i ddweud diolch.

Roedd Steff wrth ei fodd, ond cadwodd y losin o'r neilltu. Roedd e am gadw'r losin tan ar ôl yr ymarfer rygbi drannoeth. Chwarddodd Gwen wrth gofio Gareth yn adrodd yr hanes yr wythnos flaenorol. "Ti'n dal i fynd i ymarfer, 'te?" gofynnodd.

"Odw," meddai Steff, "wy'n *undiscovered talent*!"

Tro Gareth oedd hi i chwerthin nawr, ac fe addawodd Gwen y byddai'n mynd i weld drosti hi ei hun amser cinio drannoeth. Sythodd Gareth wrth feddwl y byddai Gwen yno'n ei wylio. Tynnodd Helen gerdyn o'i bag. Cerdyn i Gwen gan Lisa yn ei chroesawu'n ôl i'r ysgol oedd e, ac yn ôl pob tebyg, nid hi fyddai'r unig ddisgybl fyddai'n falch o weld Gwen fory.

Trodd y sgwrs at y gyrrwr bws. Dywedodd Helen iddi gymryd rôl Gwen ddoe, a rhoi llond pen iddo am byrfo dros Lisa fach eto. Doedd dim wedi newid nac wedi gwella yn y cyfeiriad hwnnw, yn amlwg, meddyliodd Gwen. Byddai'r gyrrwr wrth ei fodd yn gweld ei hoff ddisgybl yn ôl ar y bws.

"Gwranda, Steff," meddai Gwen. "Paid cau'r wefan, nei di?"

"Pam?" gofynnodd Steff.

"Wy newydd gael syniad," eglurodd. "Wy moyn dechrau deiseb fach 'yn hunan."

"Gwen …!" dechreuodd Gareth, yn ei lais tadol gorau.

"Beth?"

"Ti'm yn meddwl bo well i ti gadw mas o drafferth am sbel?" meddai. "So ti nôl yn yr ysgol 'to hyd yn oed. Gad i bethe fod nes bo popeth wedi setlo o leia."

Ond gwenodd Gwen arno, ac roedd e'n gwybod yn iawn nad oedd bwriad yn y byd ganddi fihafio.

## Pennod 14

Roedd yr haul yn tywynnu amser cinio, a Gwen mewn hwyliau da o ganlyniad i'r croeso gafodd hi gan ei chyd-ddisgyblion drwy'r bore. Roedd wedi gweld drosti'i hunan fod beth ddywedodd Gareth wrthi yn hollol wir. Canfyddodd ei bod hi'n dipyn o seléb. Roedd pobl wedi bod yn ei chyfarch hi drwy'r bore, pob un yn awyddus i ddweud wrthi eu bod wedi arwyddo'r ddeiseb a'u bod yn falch ei bod wedi llwyddo. Cafodd ambell i edrychiad slei gan sawl un o'r athrawon ond, ar y cyfan, doedd yr un ohonyn nhw'n gas wrthi. Ond, wrth gwrs, doedd hi heb weld Miss Rhydderch eto.

Cerddodd Helen a Gwen draw am y cae rygbi i wylio'r ymarfer oedd eisoes wedi dechrau. Pan gyrhaeddon nhw a sefyll wrth y llinell wen, gwelodd Gareth nhw a chodi law arnynt. O ganlyniad collodd e bas rwydd o ochr chwith y cae, a chael stŵr gan Mr Williams am beidio â chanolbwyntio.

"Rhywun ddim yn talu sylw!" meddai Helen, ac edrych ar Gwen i weld ei hymateb.

"Mmm," meddai Gwen, yn gwybod fod Helen wrthi'n pysgota am wybodaeth. "Lle ma Neil?" gofynnodd er mwyn newid y pwnc.

"Gwithio, siŵr o fod," atebodd Helen.

"Swot!" meddai Gwen.

Roedd Neil yn dueddol o weithio bob amser cinio erbyn

hyn gan fod ganddo shifft yn y siop bron bob nos.

"Co Steff!" meddai Gwen, a dechreuodd y ddwy chwerthin wrth edrych ar ei goesau bach tenau ynghanol y bois cyhyrog eraill.

Roedd Steff yn ei wisg rygbi newydd ac yn canolbwyntio'n galed. Roedd y chwarae'n symud tuag ato ac yntau ar yr asgell yn defnyddio'i egni i gyd yn chwifio ac yn gweiddi ar y lleill i basio'r bêl iddo. Doedd neb yn ei farcio. Roedd y bois i gyd yn gwybod nad oedd pwynt.

Cymerodd Andrew biti drosto, a phasio'r bêl iddo o'r diwedd. Llwyddodd Steff i'w dal hi cyn dechrau carlamu fel camel am y llinell gais.

Dechreuodd y merched weiddi, sgrechen a chymeradwyo.

"Be sy'n bod 'not ti Gareth, 'chan?!" gwaeddodd Mr Williams. "Marcia fe!"

Carlamodd Gareth ar ôl Steff, ond erbyn iddo gyrraedd, roedd Steff wedi cael ei lorio gan dacl cryf ond yn dal ei afael yn dynn ar y bêl er bod y lleill yn gweiddi arno i'w rhyddhau.

Torrodd chwiban Mr Williams ar draws y sterics ar y cae, a rhoddwyd cic gosb yn erbyn Steff am ladd y bêl.

Doedd y merched ddim yn deall y rheolau mewn gwirionedd ac fe glapion nhw eu dwylo a gweiddi enw Steff wrth iddo godi ar ei draed.

Aeth y chwarae ymlaen yn gyflym am rai munudau, gyda Steff yn gwneud ei orau i ddal lan 'da'r bois eraill wrth redeg yn ôl a 'mlaen ar hyd yr asgell. Roedd y merched wrth eu bodd. Doedd Steff ddim yn chwaraewr naturiol, ond roedd yn sicr yn adloniant iddyn nhw!

Yna, yn sydyn, heb reswm yn y byd, cwympodd Steff yn drwsgl i'r llawr. Dechreuodd y merched biffian chwerthin, gan amau iddo faglu dros ei draed ei hun. Sylwodd ychydig o'r chwaraewyr eraill arno hefyd a gwenu'n awgrymog ar ei gilydd. Dechrcuodd Helen a Gwen gymeradwyo'n uwch gan geisio annog Steff i godi, ond doedd e ddim yn symud o gwbl. Gorweddai Steff yn gwbl lonydd ar y gwair.

Edrychodd Gwen a Helen ar ei gilydd, ac yna'n ôl ar Steff. Gwnaeth Steff ymdrech i godi, ond daeth gwaedd boenus wrth iddo droi ar ei ochr.

"Ma rhwbeth yn bod!" meddai Gwen wedi dychryn, a brysiodd draw ato, â Helen y tu ôl iddi.

"Oddi ar y cae, ferched!" gwaeddodd Mr Williams arnynt, a chwythu'n galed ar ei chwiban. Ond brysio ymlaen wnaeth y ddwy a thaflu eu hunain ar eu penliniau wrth ochr Steff. Daeth y chwiban eto, a bloedd arall. "Shifftwch, newch chi?!"

"Ma rhywbeth yn bod!" gwaeddodd Gwen arno. Roedd wyneb Steff yn llwyd-wyrdd, a dafnau o chwys ar ei dalcen.

"Steff? Steff? Be sy'n bod? Wyt ti'n fy nghlywed i?"

Edrychodd Gwen ar Helen. Roedd yn amlwg fod rhywbeth mawr o'i le. Gareth oedd y nesaf i ymuno â nhw, a phan glywodd riddfan Steff, galwodd ar yr athro ar unwaith. Daeth Mr Williams ar draws y cae ar frys a phlygu wrth ochr Steff gan geisio gweld a oedd e wedi'i anafu.

Doedd dim golwg bod anaf arno ond roedd Steff yn amlwg mewn poen aruthrol. Fesul un, ymunodd y chwaraewyr eraill â nhw. Roedd cylch amddiffynnol wedi ffurfio o amgylch y corff llipa ar lawr. Mwythodd Gwen wallt Steff wrth i Mr Williams geisio ei droi er mwyn cael teimlo ei fol.

Daeth sgrech syfrdanol o uchel o enau'r bachgen llwyd. Edrychodd Gareth ar Gwen a sylwodd ar y pryder diffuant yn ei llygaid wrth iddi anwylo Steff. Cenfigennodd wrtho am eiliad, ond dim ond am eiliad, cyn clywed Mr Williams yn gweiddi arno i fynd i ffonio am ambiwlans. Glou!

Rhedodd Gareth bob cam o'r ffordd i'r swyddfa, a gwneud yn siŵr fod y neges yn cyrraedd yn iawn. Brysiodd yn ôl i'r cae a chanfod bod criw yn dechrau ymgynnull ar yr ymylon i wylio'r digwyddiadau. Roedd Mr Williams wedi anfon gweddill y tîm yn ôl i'r ystafelloedd newid.

Eisteddai Helen a Gwen ar eu gliniau pob ochr i Steff yn ceisio ei gysuro, yn siarad yn dawel ag e, ond braidd fod Steff yn ymwybodol erbyn hyn.

Ceisiodd Mr Williams annog Gareth i fynd i newid hefyd ond doedd e ddim am adael ei ffrind. Teimlai'n euog am ei herio i chwarae rygbi. Teimlai'n gyfrifol am ei fod wedi gwneud hwyl am ei ben e, wedi ei wthio'n rhy galed. Ond cyn iddo gael cyfle i leisio'r cwestiynau oedd yn ei boeni, roedd clychau ambiwlans i'w clywed yn agosáu a gwelai'r disgyblion yn brysio o'r ffordd fel morgrug.

Cyrhaeddodd Neil ymyl y cae â'i wynt yn ei ddwrn, ond roedd sawl un o'r athrawon yno erbyn hyn, yn ffurfio ffin amddiffynnol ac yn cadw'r disgyblion chwilfrydig oddi ar y cae. O bell, gwyliodd Neil wrth i Steff gael ei osod yn ofalus ar *stretcher*. Glynai Gareth, y merched a Mr Williams wrth ei ochr, ond er i Gareth, Helen a Gwen geisio cael mynediad i'r ambiwlans gyda'u ffrind, Mr Williams yn unig gafodd fynd, gan adael y tri ohonynt yn gwylio'r goleuadau'n fflachio ac yn gwrando ar y seiren yn ymbellhau.

Trodd Helen at Gwen a chynnig cwtsh enfawr iddi. Arhoson nhw fel hyn am sbel, gyda Gareth yn edrych arnynt yn sylweddoli unwaith eto nad ato fe y dewisodd Gwen droi am gysur. Trodd a chroesi'r cae tuag at yr ystafelloedd newid.

## Pennod 15

"Rwy'n falch o glywed 'ny. Cofiwch fi ato fe!" meddai Neil, a diffodd y ffôn. Roedd Steff yn yr ysbyty o hyd, yn ôl ei fam. Roedd y driniaeth frys i dynnu ei apendics wedi bod yn llwyddiant er ei fod yn wan o hyd. Gwenodd Neil yn dawel wrtho'i hun. Bu'n wythnos ddigon cythryblus, ond roedd hi'n nos Wener, diolch byth, a'r penwythnos yn ymestyn o'i flaen. Teimlai Neil ryw ryddhad – roedd Steff am fod yn iawn, ac roedd wedi llwyddo i waredu ei ddyled i Mr Patel. Gallai fforddio rhywbeth heblaw bîns ar dost i Simon yr wythnos yma, efallai. Cerddodd adref o'i shifft yn y siop mewn hwyliau da.

Wrth droi i mewn i waelod y stryd, gallai glywed sŵn gweiddi uchel a meddyliodd fod Mr Wainthrope fyddar yn gwylio'r teledu yn rhif wyth ond, yn raddol, daeth y llais oedd yn gweiddi ac yn rhegi yn fwy eglur. Dechreuodd Neil redeg. Roedd ei feddwl yn rasio. Gwyddai fod Simon mewn trwbl. Cyrhaeddodd y tŷ a brysio i roi'r allwedd yn y clo. Sylwodd neb arno'n cyrraedd.

Roedd ei dad yn y cyntedd, yn curo fel gwallgofddyn ar ddrws yr ystafell molchi, gan gicio a dyrnu, a bygwth Simon oedd yn amlwg wedi cloi ei hun yno. Rhegai arno, gan fynnu y byddai'n hanner ei ladd pe bai'n llwyddo i gael gafael arno.

Gwaeddodd Neil ar ei dad i stopio, ond roedd yn ddall ac yn fyddar i bopeth heblaw'r drws o'i flaen, a'r bachgen yr ochr arall iddo. Taflodd Neil ei fag yn frysiog i'r llawr a gwaeddodd ar Simon i aros lle'r oedd e, ac i beidio â phoeni. Gofynnodd a oedd e'n iawn, ac er bod cryndod dagrau yn y llais bach pitw a atebodd, eglurodd Simon iddo lwyddo i gloi'r drws cyn i'w dad ei gyffwrdd.

Gyda'i holl nerth cydiodd Neil yn dynn am ganol ei dad. Clywodd arogl cwrw ar ei anadl wrth i'w dad frwydro'n ei erbyn, gan gicio a phwnsho bob yn ail. Llwyddodd Neil i gael gafael yn ei freichiau, a gwyddai os byddai'n gallu dal ei afael yn ddigon hir, y byddai'n rhaid i dymer ei dad dawelu. Rai munudau'n ddiweddarach, wrth i dad Neil ddechrau blino, llwyddodd Neil i'w lusgo i'r gegin a'i roi i eistedd wrth y bwrdd. Rhoddodd ei dad ei ben yn ei ddwylo, ac felly y bu, yn beryglus o dawel, wrth i Neil gau drws y gegin yn dynn a berwi'r tegell. Gallai Neil anghofio am Simon am sbel. Roedd ganddo ddigon yn ei ben i beidio â dod mas nes y byddai Neil yn dweud wrtho ei bod yn ddiogel.

Berwodd y tegell a gwneud paned o goffi cryf i'w dad. Gosododd e'n ofalus ar y bwrdd o'i flaen a'i annog i'w yfed.

Dechreuodd ei dad godi ei ben, ac ar yr eiliad honno sylwodd y ddau ohonynt ar y briwsion ar fwrdd y gegin – Neil am y tro cyntaf, a'i dad am yr eildro heno. Deallodd Neil yn syth beth oedd wrth wraidd y colli tymer, hynny ynghyd â dogn go helaeth o alcohol, ond cyn iddo gael cyfle i lanhau'r bwrdd, ac atal yr ail rownd, roedd tad Neil wedi taflu ei gwpan a'r coffi poeth ar lawr y gegin, ac roedd yn ei ôl yn y cyntedd yn cicio ac yn curo ar y drws eto.

Dilynodd Neil e a'i weld yn taro'i ysgwydd gadarn yn erbyn y drws ac yn llwyddo o'r diwedd i'w fwrw oddi ar ei echel. Roedd Simon yn fwndel bach crwn yng nghornel bella'r ystafell, y dagrau'n powlio lawr ei wyneb, a'r braw yn glir yn ei lygaid.

Camodd ei dad tuag ato'n fygythiol, ond hedfanodd Neil drwy'r awyr a llwyddo i'w daclo i'r llawr.

"Rhed, Si! Rhed! Cer drws nesa at Kay a phaid symud nes i mi ddod yno i dy nôl di!"

Er fod ei dad yn crafangu am ei bigyrnau, llwyddodd Simon i ddianc a rhedodd am y drws ffrynt oedd yn dal ar agor ers i Neil gyrraedd adre. Rhedodd y bachgen i lawr y llwybr, yn falch o'r diwedd o gael pellter rhyngddo â'r tŷ. Rhedodd nes ei fod yn ddiogel yn lolfa Kay, a dim ond wedi iddi hithau roi ei breichiau amdano i'w gysuro y dechreuodd feichio crio ar ei hysgwydd.

Roedd nerth ei dad yn cryfhau wrth i flinder Neil gynyddu, ac wedi rhai eiliadau o grafangu am ei gilydd ar lawr, llwyddodd i ysgwyd Neil oddi arno. Roedd ar ei draed ar unwaith, ac wrth i Neil geisio codi i rwystro'i dad unwaith eto, cafodd ddyrnod egr yn ei stumog. Plygodd i bwyso'n erbyn y boen, ond roedd hynny'n gamgymeriad, a chafodd ddyrnod arall yn ei drwyn. Teimlodd y gwaed yn ffrwydro'n wlyb ar ei grys-T, a chododd ei ben i edrych i lygaid gwyllt ei dad.

Roedd llygaid ei dad yn goch gan gwrw a dicter pan edrychodd Neil iddynt gyntaf, ond ymhen eiliadau, roedd y llifddorau wedi eu hagor, a'r llygaid ffyrnig yn prysur droi'n goch gan ddagrau. Sylwodd ei dad ar y niwed a wnaeth i'w fab, a chwympodd ar ei liniau a cheisio ymddiheuro iddo trwy'i ddagrau. Disgynnai'r diferion gwaed yr oedd yn gyfrifol amdanynt ar ei wallt wrth iddo benlinio yno.

Fel plentyn ar lin ei fam, parhaodd tad Neil i grio. Eisteddai Neil yno, yn gwylio'r gwaed tywyll yn cymysgu â gwallt brith ei dad, ac yn gwrando ar y llefain yn graddol droi yn ebychiadau. Gwyddai Neil fod y ffrwydrad drosodd am heno, a chyda phob ebychiad newydd, ceisiodd roi gair o gysur i'w dad truenus. Roedd y gwaed erbyn hyn yn sychu yn ei drwyn, a dechreuodd Neil deimlo fel pe na bai pwysau o haearn yn hongian oddi ar ei wyneb wedi'r cyfan.

O'r diwedd, cododd Neil a cheisio hebrwng ei dad lan y grisiau i'w ystafell wely. Disgynnodd ei dad yn drwm ar y gwely ac ymhen dim yr oedd yn cysgu, yn chwyrnu ac yn griddfan am yn ail. Aeth Neil i nôl pwced a gwydraid o ddŵr a'u gosod o fewn cyrraedd ar y bwrdd wrth ymyl y gwely, rhag ofn.

Dihangodd Neil i waelod y grisiau, a mynd i edrych ar ei adlewyrchiad yn nrych yr ystafell molchi. Roedd y gwaed wedi ceulo am ei drwyn, a sychodd Neil y crwst oddi yno i ddadorchuddio trwyn glân ond trwyn chwyddedig a phoenus. Diolch byth, doedd yna'r un anaf arall yn amlwg er bod ei gorff yn brifo drosto wedi'r ymdrech o geisio atal ei dad.

Aeth i'r gegin a chlirio'r coffi, y llestri a'r briwsion bondigrybwyll o'r gegin, ac yna aeth ati i gywiro drws yr ystafell molchi. Roedd yn hen law bellach ar baentio, llenwi tyllau mewn waliau, ailosod drysau – beth bynnag roedd tymer ei dad yn gofyn iddo'i gwblhau cyn iddo ddeffro'n sobor ac yn flin fel arth y bore wedyn, gan fygwth curo'i feibion am greu'r difrod yn y lle cyntaf.

Erbyn iddo orffen ei waith roedd hi'n hanner nos a throsodd. Edrychodd drwy'r ffenest a gweld golau yng nghegin Kay. Aeth i wneud yn siŵr bod ei dad yn dal yn cysgu a chau'r drws yn dynn y tu ôl iddo cyn mynd i nôl ei frawd.

Doedd dim rhaid i Neil ddweud gair wrth Kay pan agorodd hi'r drws. Yno ar y soffa, wedi ei lapio yn ei got, yr oedd Simon, yn cysgu'n drwm a'i anadlu'n esmwyth erbyn hyn a'i wyneb fel angel.

"Geith e aros 'ma os ti moyn," cynigiodd Kay'n garedig.

"Na, gwell peidio," meddai Neil, gan wybod y byddai hynny'n opsiwn hawdd iddo yn y dyfodol o bosib.

Edrychodd Kay yn graff ar wyneb Neil a sylwodd ar ei drwyn a'r cysgod o waed oedd yn dal i fod yno.

"Elli di ddim cario mla'n fel hyn," meddai'n dawel. "Mae'n rhaid ti weud wrth rywun. Mae dy dad angen help. R'yt ti angen help gyda pethe 'fyd."

Ofnai Neil pe bai'n dechrau siarad na fyddai e fyth yn stopio. Brwydrodd yn galed yn erbyn y dagrau a chanolbwyntiodd ar ei frawd bach. Diolchodd i Kay o waelod calon am heno, a chododd y corff bach eiddil ar y soffa yn ei freichiau. Wrth y drws, rhoddodd Kay ei llaw ar ysgwydd Neil, a throdd yntau i edrych arni.

"Cofia," meddai, "os o's rhywbeth galla i neud … unrhyw beth o gwbl – jyst isie i ti ofyn sydd."

Roedd llwnc Neil yn dynn gan ddagrau. Diolchodd iddi gyda'i lygaid cyn troi am adre. Dringodd y grisiau'n dawel ac aeth i mewn i'w ystafell ei hun gan osod Simon i orwedd ar ei wely. Safodd i wylio ei frawd yn cysgu. Pam na allai e wneud yr un peth? Roedd ei waed yn berwi oddi mewn iddo, ei ymennydd yn tic-tic-tician gyda helyntion y noson gythryblus.

Aeth i ystafell ei dad a'i weld yntau hefyd yn chwyrnu mewn trwmgwsg meddw. Pawb yn gorffwys, pawb yn anghofio am eu problemau. Pawb heblaw amdano fe.

Aeth yn ôl i'w ystafell a rhoi planced dros Simon.

Tynnodd y clo ar ei ddrws, y clo roedd e'n gyfrifol am ei osod ar ôl y tro diwethaf i'w dad ei guro. Doedd e ddim yn sicr o'u diogelu, ond o leia byddai'n rhoi digon o rybudd iddo fod ei dad mewn tymer.

Troediodd lwybr o un pen yr ystafell i'r llall ac yn ôl, dro ar ôl tro. Roedd yr egni yma yn ei gorff fel trydan, a nunlle ganddo i fynd. Eisteddodd wrth y cyfrifiadur a llwytho Graffiti. Gwelodd y delweddau'n nofio o flaen ei lygaid. Ychwanegodd ei enw at ddeiseb ddiweddaraf Gwen, er bod y gyrrwr bws bob amser yn hawddgar iawn gyda fe.

Dechreuodd grwydro o gwmpas y wefan a sylwi fod *chat room* wedi ffurfio. Ymunodd o dan y ffugenw 'Yr Anghenfil', ac eistedd am ychydig yn gwylio disgyblion eraill yn rhannu problemau a chyngor.

Roedd Sandy am wybod a ddyle hi ofyn i Andrew fynd mas ar ddêt, Jaffa am wybod sut i gael gwared ar gariad heb ei brifo, a Siôn am wybod a dylai ddweud wrth ei gariad iddo fod yn anffyddlon. Darllenodd Neil y problemau a'r cyngor a ddeuai'n ateb iddynt, a chwarddodd yn chwerw. Os mai dyma oedd pinacl problemau disgyblion eraill yr ysgol, doedd ganddyn nhw ddim byd i boeni'n ei gylch. Dymunai y gallai yntau hefyd gwyno am ei gariad, neu am ei ffrind neu am ba bynnag broblem bitw arall, ond doedd ganddo mo'r fraint honno.

Ffrwydrodd yr egni i'w fysedd, a dechreuodd chwydu ei bryderon i bwy bynnag oedd yr ochr arall i'r sgrin.

Mae '**YR ANGHENFIL**' yn dweud:
Alla i ddim iste man hyn yn gwrando arnoch chi'n mynd mla'n am eich problemau bach dibwys dim rhagor. O's ots os wyt ti wedi snogo rhyw ferch arall

neu beidio? Ges i 'nghuro gan fy nhad heno, fy nghuro nes bod fy nhrwyn i'n gwaedu. Goffes i achub fy mrawd bach un ar ddeg oed rhag yr un ffawd. Goffes i roi fy nhad meddw yn ei wely, a phob dydd bron mae'r un peth yn digwydd. Gollon ni mam llynedd. 'Sneb 'ma i wrando arna i, felly sdim iws cwyno.
Ma 'nhad i'n fy nghuro i, mae e'n alcoholic. Gollodd e 'i wraig, wedyn ei swydd am fod alcohol wedi difetha ei allu i weithio.
Fi sy'n cynnal y tŷ, yn talu'r biliau ac yn prynu'r bwyd. Fi sy'n amddiffyn fy mrawd bach, yn clirio chwd fy nhad ac yn ei roi yn ei gwely yn ei ddagrau gyda fy nhrwyn i'n pisho gwaed.
Licen i fod yn 'ych sefyllfa chi, licen i fod mor lwcus, a falle bo gwerth i chi ystyried 'ny cyn boddi mewn hunandosturi, a chwyno eich bod chi'n brifo pobl o'ch amgylch sy'n golygu rhywbeth i chi.

Erbyn i Neil sylweddoli beth roedd e'n ei wneud roedd y neges ar y sgrin o'i flaen, ac yn destun trafod i'r sawl oedd ar y wefan.

Dechreuodd y cyngor ddod bron ar unwaith.

Mae '**SANDY**' yn dweud:
Druan ohonot ti!

Mae '**SIÔN**' yn dweud:
Pam set ti'n gweud wrth rhywun?

Mae '**UBER BABE 5**' yn dweud:
Na'th Social Services gymryd fi off y'n nhad pan o'dd

e'n curo fi. Os ti'n gallu godde fe, mae e werth e, jyst i gadw'r teulu 'da'i gilydd.

Mae '**JAFFA**' yn dweud:
Be?! Paid â bod yn sofft fenyw!!

Mae '**UBER BABE 5**' yn dweud:
So ti'n gwbod shwt ma 'ddi arno fe.

Roedd Neil yn crynu. Gwyliodd yr ymatebion, y cyngor, yn cyrraedd bob yn frawddeg gan wybod fod yna bobl ddiwyneb o fewn ychydig filltiroedd i'w gartref ei hun yn trio'i helpu. Roedd e'n grac bellach, yn grac ei fod wedi torri ei addewid iddo'i hun ac wedi dweud wrth rywun. Er nad oedd e wedi datgelu pwy oedd e, gobeithiai na fyddai unrhyw un oedd yn ei nabod e'n ddigon da yn dyfalu wrth weld ei neges.

Diffoddodd y cyfrifiadur, a dringo i mewn i'r gwely at Simon, oedd yn dal i gysgu'n drwm. Swatiodd o dan y blanced. Gobeithiai erbyn y bore na fyddai hunllef heno yn ddim byd mwy na breuddwyd.

## Pennod 16

Roedd Gwen yn eistedd ar lawr ystafell wely Helen yn plygu dros bentwr o bapurau. Codai un dudalen ar y tro, ei darllen, ychwanegu ambell i farc beiro ac yna yn ei phasio i Helen, oedd yn eistedd ar ei gwely.

Penderfynodd y ddwy wneud y gwaith terfynol ar y ddeiseb yn digon pell o'r ysgol. Er bod pawb yn fwy nag ymwybodol o'r ffaith, doedd Gwen yn arbennig ddim am i bobl wybod mai hi oedd y tu ôl i'r peth a'r cais i gael gwared ar y gyrrwr bws.

Trodd sgwrs y ddwy at y wefan, a gofynnodd Gwen i Helen a welodd hi'r neges a adawyd gan 'Yr Anghenfil'.

"Do," atebodd Helen yn drist, gan gofio ymateb cryf Neil i'r un drafodaeth ddechrau'r wythnos. Doedd hi ddim yn deall pam y collodd e 'i dymer. Y cyfan wnaeth hi oedd dweud cymaint o drueni oedd ganddi drosto, pwy bynnag oedd e. Cyhuddodd Neil hi o fod yn '*wannabe agony aunt*' oedd yn hwpo'i thrwyn i mewn i fusnes pobl eraill pan mai'r cwbl oedd ar bobl ei eisiau oedd llonydd.

"Mae isie help proffesiynol arno fe, pwy bynnag yw e," meddai Gwen yn ddigon diamynedd. "Ddyle fe ddim disgwyl i'w gyfoedion e gynnig yr ateb."

"Rhaid i ti gofio bod 'na elfen o warth mewn sefyllfa fel yna," meddai Helen yn ddoeth, "ac mae pobl am guddio cyn hired ag sy'n bosib."

Ond doedd Gwen ddim ar fin ildio i gytuno gyda Helen.

Os nad oedd hwn am i bawb wybod pwy oedd e, pam rhannu ei broblem ar Graffiti o bobman?! Roedd pawb yn yr ysgol yn ceisio dyfalu pwy oedd e erbyn hyn, ac roedd e'n gwybod hynny.

"So ti'n gweld, Gwen? Mae e fel yr hyn gei di mewn cylchgrawn," meddai Helen, mewn ymdrech arall i geisio darbwyllo'i ffrind. "Ma pobl moyn help ond ma nhw'n rhy *embarrassed* i ofyn, felly os y'n nhw'n sgrifennu llythyr at rywun yn ddienw, nagyw e mor ddrwg, yw e?"

"*Saddos*," oedd unig ymateb Gwen, wrth iddi estyn darn arall o bapur i'w ffrind ar y gwely.

Meddwl yn uchel roedd Helen pan gynigiodd y dylen nhw ystyried datblygu'r wefan ymhellach i gynnig tudalen broblemau fwy ffurfiol na'r *chat room*. Anghytunodd Gwen yn ffyrnig gyda hi. Ond roedd y syniad wedi gafael yn Helen, a phenderfynodd y byddai'n gofyn i Steff gynllunio'r tudalennau newydd y cyfle cynta gâi hi.

"Be ti'n neud dros y penwythnos?" gofynnodd Gwen, oedd wedi cael llond bol ar 'Yr Anghenfil' a'i broblemau ac oedd eisiau newid y pwnc.

"Sa i 'di trefnu dim," atebodd Helen.

"'Na ddiflas wyt ti!" meddai Gwen, gan ddiolch yn dawel ei bod wedi trefnu noson mas gyda Jac eto. Roedd hi, beth bynnag, yn bwriadu cael digon o hwyl yn ei hamser sbâr.

Helen newidiodd y pwnc y tro hwn, wrth iddi dderbyn tudalen olaf y ddeiseb oddi wrth Gwen ac edrych drosti. Trefnodd y ddwy gwrdd yn yr ystafell gyfrifiaduron amser egwyl y bore wedyn, er mwyn anfon y ddeiseb newydd at y Prifathro, a chydag ychydig o lwc, er mwyn chwifio hwyl fawr i'r pyrf oedd yn gyrru'r bws.

## Pennod 17

Herciodd Gareth at ei wely, a suddo'n drwm arno. Taflodd y baglau i'r llawr dan regi. Roedd ei bigwrn wedi chwyddo a gallai deimlo'r gwaed yn pwmpio'r boen o'i gwmpas.

Roedd e'n grac. Gêm gyfeillgar oedd hi i fod heddiw, 'bach o hwyl, ond trodd yr hwyl yn hunllef wedi i Gareth orfod treulio'r prynhawn yn yr ysbyty gyda doctor yn procio'i goes ac yn mynnu ei fod yn cael pelydr X.

Nid oedd ei bigwrn wedi torri, diolch byth. Wedi dweud hynny, ni allai roi unrhyw bwysau arno, ni allai gerdded heb faglau, ac yn waeth na'r cyfan, byddai'n rhaid iddo golli ei gêm gyntaf i dîm cynta'r ysgol nos Fercher nesaf.

Gorweddodd yn ôl ar ei wely, cyn cofio cyngor y meddyg bod yn rhaid iddo gadw'i bigwrn yn uchel. Crynodd dan yr ymdrech wrth iddo lusgo'i goes i'r gwely a'i gosod yn ofalus ar obennydd. Gorweddodd yn ôl. Roedd e'n rhwystredig ac yn grac, a doedd neb o gwmpas i wrando ei gŵyn. Roedd Neil yn gweithio, Helen yn gwarchod Simon, Steff dal yn yr ysbyty, a Gwen … wel roedd Gwen siŵr o fod mas ar noson wyllt arall gyda'r Jac yna. Roedd hyd yn oed rhieni Gareth wedi mynd mas at ffrindiau am bryd o fwyd, ac er nad nhw oedd y cwmni gorau, o leia fe allen nhw gynnig ychydig o gydymdeimlad.

Ceisiodd ymlacio. Doedd bod ar bigau drain fel hyn ddim yn gwneud unrhyw les iddo, ond bob tro y teimlai ei ysgwyddau'n rhyddhau, meddyliai am Gwen yng nghwmni

Jac, ac roedd y tyndra'n ailgydio eto.

Beth oedd yn bod arni? Roedd hyd yn oed Steff wedi sylweddoli bellach fod gan Gareth deimladau tuag ati hi, felly siawns nad oedd hi ei hun yn ymwybodol o hynny? Pam na allai hi weld ei fod e dros ei ben a'i glustiau mewn cariad â hi? Falle ei bod hi'n gwybod, meddyliodd Gareth, a falle nad oedd hi'n hoffi bechgyn da. Merch yn cicio'n erbyn y tresi oedd Gwen, yn cael gwefr o gynnal perthynas gyda rhywun anaddas, un oedd bum mlynedd yn hŷn na hi, yn smygu, yn yfed .... Oedolyn oedd Jac, oedolyn yn mynd mas 'da merch un ar bymtheg oed. Roedd yn gas gan Gareth feddwl am y peth. Roedd e'n poeni, ond dyna ran o'i broblem e – roedd yn ffyddlon, ac yn driw, ac yn ffŵl. Ond doedd e ddim yn gymaint o ffŵl â Gwen.

Estynnodd Gareth am ei beiriant CD. Os oedd rhaid iddo ddiodde ei gwmni ei hun, man a man iddo fwynhau ychydig a cheisio ymlacio! Gwasgodd 'play' a throi'r sŵn yn uwch, ond fe fethodd ag ymgolli'n llwyr yn y gerddoriaeth fel y dymunai. Roedd Gwen yn dal i droi rownd a rownd yn ei ben e. Gwen a Jac. Jac a Gwen. Doedd e ddim yn deall. Beth yn gwmws oedd mor arbennig am Jac? Roedd Gwen yn gallu ymddiried yn Gareth, roeddynt yn ffrindiau, gallai ddibynnu arno'n llwyr ... a dyna wraidd y broblem, mae'n debyg. Dyna pam nad oedd ganddi'r iot lleia o ddiddordeb ynddo. Doedd e ddim yn ddigon o sialens iddi, yn amlwg.

Teimlodd ei ffôn yn crynu'n ei boced. Estynnodd yn drwsgl amdano ac edrych ar y sgrin fach. Gwen! Golchodd ton o hapusrwydd drosto fel chwa o awyr iach. Falle nad oedd hi wedi mynd mas 'da Jac heno wedi'r cyfan. Diffoddodd y gerddoriaeth ac ateb y ffôn ar unwaith, gan geisio cuddio'r brwdfrydedd yn ei lais.

Clywodd Gwen yn chwerthin, yn chwerthin yn wyllt nes ei bod yn amhosib iddo ddeall y geiriau yr oedd hi'n amlwg yn ymdrechu i'w ffurfio. Roedd ei chwerthin yn heintus a chwarddodd Gareth hefyd. Clywodd Gwen yntau a pharhau i chwerthin, chwerthin a chwerthin a chwerthin, chwerthin nes ei bod yn swnio fel pe bai'n crio. Aeth eiliadau heibio cyn i Gareth sylwi ei bod hi *yn* crio.

Ceisiodd Gareth ei thawelu, ceisiodd gael rhyw fath o synnwyr ohoni. "Gwen? Gwen? Dere nawr … ti'n olreit? Lle 'yt ti? Fi ffaelu clywed ti, Gwen, ma fe'n swnllyd … Gwen …? Beth sy'n bod?"

Ond drwy'r chwerthin a'r crio yr unig eiriau ddeallodd Gareth, oedd 'siopa' a 'melyn'.

"Gwen …? Lle 'yt ti? So ti'n gneud unrhyw synnwyr … Odi Jac 'da ti? Gwen? Gwen?"

Ond doedd dim sôn am Gwen erbyn hyn, a'r llinell yn un dôn hir, yn fyddarol o dawel wedi'r chwerthin dwl.

Roedd Gareth ar ei eistedd, ei ben yn powndio bron cymaint â'i goes. Beth oedd yn bod arni? Ble'r oedd hi? Ceisiodd estyn am ei faglau. Doedd e ddim yn gwybod beth i'w wneud.

Cymerodd gryn amser iddo godi. Ceisiodd ffonio rhif Gwen eto. Roedd yn rhaid iddo gael rhagor o gliwiau am lle'r oedd hi. Stryffaglai i geisio cadw'r cydbwysedd rhwng ei bigwrn, y ffyn a'r ffôn.

Deialodd ei rhif hi eto ac eto ac eto. Dim ateb. Ble roedd hi?

## Pennod 18

Roedd rhestr enwau'r actorion yn gwibio i fyny'r sgrin i gyfeiliant cerddoriaeth glasurol pan gododd Helen a diffodd y DVD. Edrychodd draw ar Simon, oedd wedi'i wneud ei hun yn gartrefol ar y soffa, yn hanner eistedd, hanner gorwedd ar ei thraws â bag gwag o bopcorn ar ei lin.

Roedd golwg wedi blino arno, ddim fel gynnau pan oedd egni yn ei lygaid a thinc direidus yn ei lais wrth iddo geisio dwyn perswâd ar Helen i ofyn i Neil fynd mas ar ddêt. Chwerthin wnaeth Helen wrth i Simon egluro ei fod yn meddwl y bydden nhw'n neud cwpl da. Er hynny, roedd ei awgrym wedi glynu yn ei phen ac roedd hi'n cael mwy o drafferth na'r disgwyl i anwybyddu ei ddymuniad diniwed.

"Joiest ti?" gofynnodd Helen.

"Do, diolch," meddai Simon yn gwrtais. Chwarae teg iddo, roedd e wedi bod yn fonheddig iawn drwy'r nos, ac roedd Helen wedi mwynhau ei gwmni. Doedd e ddim fel rhai o'r plant eraill roedd hi wedi eu gwarchod, yn mynnu siocled bob pum munud, ac yn benderfynol o aros ar ddihun yn bell ar ôl amser gwely.

Sylwodd Helen ar y cysgodion du dan lygaid Simon ac aeth draw ato. "Dere," meddai. "Ewn ni? Ma shifft Neil bron â dod i ben."

Cododd Simon fel ci ufudd, gan dasgu darnau mân o bopcorn ar y carped. Trodd i edrych ar y soffa y tu ôl iddo, lle roedd amlinelliad o bopcorn yn dangos ble bu'n eistedd cynt. Gwelwodd a brysio ar ei liniau gan ymddiheuro wrth geisio sgubo'r briwsion i'w law. Edrychodd Helen arno a gwenu.

"Paid becso byti 'na," meddai. "Co. Wy 'di neud lot mwy o fès na ti!"

Cododd Simon ei lygaid i edrych arni, a dychmygai Helen iddi weld cysgod ofn ynddynt. Ymlaciodd Simon wrth weld ei llygaid caredig hithau'n edrych nôl arno, ond ffwndrodd un ymddiheuriad arall, jyst rhag ofn.

Rhoddodd Helen ei llaw ar ei ysgwydd, ac estyn ei got iddo.

"Neil wedodd wrtha i am fihafio, ac i beidio neud mès," meddai Simon. Roedd deigryn neu ddau yn dechrau cronni yn ei lygaid, a gwenodd Helen ar y bachgen blinedig.

"Paid becso," meddai Helen eto, a'i arwain yn ofalus at y drws.

Doedd Helen ddim yn deall beth yn union ddwedodd Neil wrth ei frawd bach i'w ddychryn gymaint, ond diflannodd ei phryderon wrth iddi hi a Simon gamu i'r glaw a dechrau cerdded i gyfeiriad y siop.

Roedd Simon yn dawel iawn wrth ei hochr. Edrychodd Helen arno, ei ben yn isel a'i gefn wedi crymu ryw fymryn i'w gysgodi rhag y glaw. Mentrodd ofyn a oedd rhywbeth yn ei boeni.

"Fi'n meddwl am Mam," meddai. "O'n i'n arfer gwylio ffilmie 'da hi pan o'dd pawb arall mas. Na'th heno'n atgoffa fi ohoni … 'na i gyd."

Rhoddodd Helen ei braich amdano, gan obeithio y byddai hynny'n cynnig rhywfaint o gysur i'r plentyn amddifad. Doedd hi ddim yn deall beth oedd colli rhiant mor ifanc. Gadael wnaeth ei thad hi, heb air o rybudd, heb air o eglurhad. Doedd hi ddim wedi galaru yn yr un ffordd, ond roedd hi'n gwybod beth oedd cwestiynu, yn deall beth oedd bai, a gallai deimlo poen Simon wrth i'w ymennydd ifanc geisio rhesymu marwolaeth dirybudd ei fam.

"So fe'n rhwydd, yw e, boi?" meddai. "Ond ti'n gwbod beth? Bydde dy fam mor browd ohonot ti."

Gwenodd Simon yn wan arni. Wrth iddi ailystyried ei brawddeg ei hun, teimlodd Helen wacter y geiriau. Doedden nhw o ddim defnydd i Simon druan, er bod y geiriau'n ddiffuant.

Erbyn iddyn nhw gyrraedd y siop, roedd Simon wedi addo dod at Helen unrhyw bryd roedd e am siarad, neu ar yr adegau hynny pan mai'r unig beth roedd ei angen arno oedd cwmni a chwtsh. Gwyddai Helen na allai wella'r sefyllfa, ond gobeithiai y gallai leddfu ryw ychydig ar ei boen.

Aethant at y cownter lle roedd Neil yn brysur yn cyfri'r arian yn y til, a Mr Patel wrthi'n cloi'r stordy a diffodd y goleuadau. Aeth Simon â'r DVD yn ôl a'i osod yn dwt ar y cownter.

Gwenodd Helen, a llongyfarch Neil ar ddysgu ei frawd i fod yn daclus.

"Mae e'n rhyfeddol o daclus, yr hen Simon 'ma, on'd yw e?!"

Tywyllodd wyneb Neil, wrth iddo droi oddi wrthi a dweud yn galed, "Wy'n neud 'y 'ngore drosto fe, ocê?"

Doedd Helen ddim yn disgwyl yr ymateb pigog yma, ond cyn iddi gael cyfle i ymddiheuro, aeth Neil yn ei flaen.

"Pwy hawl s'da ti i'n beirniadu ni, gwed? Diolch i ti am heno, ond 'na i ddim trafferthu gofyn eto. Ddown ni i ben 'yn hunan os mai fel'na ti'n timlo."

Caeodd ddrôr y til yn glep cyn codi'i fag a gweiddi ei

ffarwél ar Mr Patel. Dilynodd Simon ef, heb air o orchymyn, a chwythodd sws fach ar Helen wrth basio. Roedd hi'n dal i sefyll mewn sioc, yn gegagored wrth wylio Neil a'i dymer ddrwg yn diflannu drwy'r drws.

Gwenodd Helen yn lletchwith ar Mr Patel, cyn ymddiheuro, diolch iddo heb rheswm a chamu'n araf trwy'r drws. Doedd dim sôn am y ddau frawd.

Brysiodd Helen yn ôl adre trwy'r glaw â'i meddwl yn rasio. Aeth at ei chyfrifiadur ar unwaith.

Dwrdiodd y peiriant am gymryd oes i lwytho'r wefan. Yn ei phen, roedd hi'n beio Steff am beidio â chynllunio technoleg a weithiai'n gynt! O'r diwedd, ymddangosodd graffiti.com, ac aeth Helen yn syth at y *chat-room* ac ail-ddarllen neges 'Yr Anghenfil'.

Ni allai fod yn gwbl sicr, ond dechreuodd roi darnau'r jigso at ei gilydd, un wrth un. Dechreuodd amau ei bod bellach yn gwybod pwy oedd yr anghenfil addfwyn yma.

Clywodd blîp ei ffôn ac estynnodd amdano. Darllenodd y neges fer oedd yn ddigon i gadarnhau ei phryderon.

**NEIL:** `Sori blods. Wedi blino.`

Gwingodd Helen wrth ddechrau deall gwir faich ei ffrind, cyn ateb,

**HELEN:** `Dim probs.`

Beth arall allai hi 'i ddweud?

## Pennod 19

Eisteddai Gareth ar fainc ynghanol stryd fawr y dre, yn ceisio gorffwys ei goes, ac yn deialu rhif Gwen am y degfed tro o fewn yr hanner awr ddiwethaf. Doedd hi'n dal ddim yn ateb. Roedd Gareth yn poeni'n ofnadwy amdani, ond roedd plethu llwybr rhwng meddwon nos Sadwrn y dre ar ei faglau yn fwy o drafferth nag yr oedd wedi ei ddisgwyl.

Roedd wedi chwilio amdani'n ofer ers awr a mwy. Crwydrodd drwy'r tafarndai gorlawn yr oedd e wedi clywed Gwen yn sôn amdanynt, edrychodd drwy ffenestri'r bwytai a'r *burger bars*; roedd e hyd yn oed wedi bod ym mhob toiled cyhoeddus y gallai feddwl amdanyn nhw, yn galw ei henw wrth ddrws y merched, ond heb lwc. Doedd dim sôn amdani yn unman, a doedd ganddo ddim syniad lle arall i chwilio. Rhwng y glaw a'r boen diddiwedd yn ei goes, doedd ganddo ddim amynedd i chwilio rhagor. Rhyngddi hi a'i phethau erbyn hyn. Os oedd Gwen yn ddigon twp i lanio mewn llond twll arall o drafferth, byddai'n rhaid iddi ddringo allan o'r twll hwnnw ei hun. Edrychodd ar ei oriawr. Chwarter i un ar ddeg. Pe bai'n brysio, gallai ddal y bws olaf adre. Herciodd ar ei draed, gan bwyso'n drwm ar ei ffyn, a chnoi ei wefus dan y straen. Dechreuodd ar y daith boenus ac araf i gyfeiriad yr arhosfan.

Roedd y strydoedd yn dechrau prysuro, a chriwiau swnllyd sodlau uchel a chrysau smart nos Sadwrn yn igam-ogamu am y dafarn nesaf cyn i'r barrau gau. Roedd bachgen wrtho'i hun ar faglau yn tynnu sylw sawl un, ac er iddo dderbyn ambell air o gydymdeimlad, bu'n rhaid iddo ddioddef sawl chwiban haerllug a bloedd greulon. Daliodd ei ben yn isel, gan ganolbwyntio ar y palmant o'i flaen ac ar chwilio'r drysau bob ochr i'r stryd.

Wrth nesáu at yr arhosfan bws, sylwodd ar ferch ar ei chwrcwd, ei phen a'i gwallt tywyll yn rowlio o un ochr i'r llall fel pe bai ei gwddwg yn methu â chynnal pwysau ei phen. Braidd ei bod yn ei nabod ar yr olwg gyntaf, ond gyda phob cam yn nes ati, sylweddolodd mai dyma'r trysor y treuliodd oriau yn chwilio amdani.

"Gwen!" gwaeddodd arni, a throdd hithau ei phen i'w gyfeiriad heb edrych arno'n iawn.

Doedd wyneb Gareth ond fodfeddi oddi wrth ei hwyneb hithau pan sylweddolodd ei bod yn ei adnabod. Taflodd ei breichiau amdano a gwichian, "Hwrê! Gar!" cyn cwympo i'r llawr a chwerthin yn afreolus.

Cymerodd Gareth ei phen yn ei ddwylo, ac edrych i fyw ei llygaid. Yn llewyrch goleuadau'r stryd, gallai weld fod du'r canol yn chwyddedig, ac yn methu ffocysu.

"Fi'n caru ti, Gar!" gwaeddodd Gwen ar dop ei llais, cyn taro Gareth ar draws ei wyneb ac ailblygu ei phen i guddio'i dagrau.

Roedd chwip ei chelwydd yn brifo mwy na chwip ei llaw, a cheisiodd Gareth unwaith eto dynnu ei sylw, a'i chadw dan reolaeth. "Ti 'di cymryd rhywbeth, Gwen?"

Ond roedd Gwen erbyn hyn yn rhy brysur yn canu wrthi hi ei hun i ffurfio ateb.

"Ble ma Jac?" gofynnodd wrthi, a meimiodd Gwen fel dewin ei fod wedi diflannu i ganol nunlle. Dychwelodd at ei chân.

Yn y pellter, gwelodd Gareth y bws yn troi cornel y stryd fawr. Heb unrhyw gymorth gan Gwen, llusgodd hi ar ei thraed a thynnu ei braich amdano. Ceisiodd gynnal ei phwysau yn erbyn ei goes iach a herciodd yr ychydig gamau at yr arhosfan.

Cyrhaeddodd y bws a llwyddodd Gareth i gyrraedd pen y grisiau, gollwng Gwen ar y sedd agosaf a dychwelyd i flaen y bws i dalu'r gyrrwr. Gofynnodd am ddau docyn hanner adre.

Cododd y gyrrwr ei aeliau, "Ti un ai'n gwneud ffŵl ohona i, neu o dafarnwyr y dre 'ma!" meddai, gyda gwên awgrymog wrth iddo osod y ddau docyn yn llaw Gareth.

Aeth Gareth i eistedd, pwysodd Gwen yn drwm yn ei erbyn a gosod ei phen blinedig ar ei ysgwydd. Dihangodd ochenaid bodlon o'i genau. Diolchodd Gareth ei bod hi'n ddiogel ac yn dawel nawr, ac felly y bu am weddill y daith.

Siaradai Gareth â hi fel plentyn, yn araf a syml, wrth iddo egluro yr âi â hi adre. Gofynnodd iddi a oedd ganddi allwedd, ond yn sydyn, gwichiodd Gwen "Na!" cyn i'r dagrau ddechrau llifo dros ei gruddiau a gadael pwll gwlyb ar grys-T Gareth.

"Plîs paid neud 'ny," erfyniodd Gwen, yn siarad yn eglur am y tro cyntaf. "Sa i moyn mynd gytre."

Cytunodd Gareth i fynd â hi'n ôl i'w dŷ ef. Yn ymarferol, byddai hynny'n haws iddo na disgyn oddi ar y bws yn agos i gartre Gwen a gorfod hercian adre o'r fan honno. Tawelodd hithau wrth glywed ei addewid, ac ychydig funudau'n ddiweddarach, roedd Gwen yn sgipio a chanu ar hyd y stryd at ddrws ffrynt Gareth.

Diolch i'r nefoedd nad oedd rhieni Gareth wedi cyrraedd adre eto. Roedden nhw fel arfer yn hwyr ar ôl eu nosweithiau yn sipian gwin gyda'u ffrindiau. Llwyddodd i arwain Gwen i'w ystafell a thynnu planced drosti yn haws o lawer nag yr oedd wedi disgwyl gwneud. Cwympodd hithau i drwmgwsg bron yn syth.

Estynnodd Gareth am ei ffôn a deialu rhif ei rhieni. Ni allai ddweud y gwir wrthynt, er ei fod yn hanner gobeithio y byddent yn amau ei stori, yn mynnu'r gwir, ac yn dod draw ar unwaith i gasglu Gwen. Ond roedd ei gelwydd yn dal dŵr ac roedd euogrwydd Gareth yn pigo wrth i dad Gwen ddiolch iddo am fod mor garedig â ffonio, gan roi stop ar eu pryderon.

Arhosodd Gareth i wrando ar anadlu cyson Gwen. Aeth i eistedd ar ymyl ei wely a'i gwylio hi'n cysgu, mor dawel, mor brydferth, mor agos. Estynnodd ei law a chyffwrdd yn ysgafn yn ei gwallt hir esmwyth.

"Be ti 'di neud i ti dy hunan, gwed?" gofynnodd iddi. "A beth wnaeth Jac i dy haeddu di? Bydden i wedi edrych ar d'ôl di heno. Fydden i fyth yn rhoi lo's i ti fel hyn, Gwen." Plygodd drosti a rhoi cusan ysgafn ar ei thalcen. Mor rhwydd fyddai dringo i'r gwely ati a'i chofleidio. Ond beth oedd y pwynt pan nad oedd ganddi'r awydd na'r gallu i ymateb?

Cododd ac edrych arni unwaith eto cyn troi oddi yno, a cheisio gwneud ei hun yn gyfforddus dan gynfas oer yr ystafell sbâr.

* * *

Dihunodd Gareth i ffrwydrad o flodau lliwgar y dillad gwely, yn hytrach na'r coch plaen arferol. Cofiodd yn sydyn pam roedd e'n cysgu yn yr ystafell sbâr, a dringodd yn gysglyd o'r gwely. Os oedd Gwen yn effro, gallai gael hanes beth ddigwyddodd neithiwr ganddi nawr. Safodd ar ei draed cyn cofio'r boen yn ei bigwrn. Camodd yn fregus tuag at ei ystafell wely a chnocio'n ysgafn ar y drws. Dim ateb. Agorodd y drws yn araf, gan roi digon o amser iddi wichian rhybudd os oedd hi'n anweddus. Mentrodd edrych rownd y drws. Roedd y gwely'n wag. Rhaid ei bod wedi codi'n gynnar a dianc adre.

* * *

Diolchodd Gwen i Val gysglyd, oedd yn trio ffocysu arni drwy ei llygaid cilagored. Cerddodd yn dawel i fyny'r grisiau at ddrws caeedig ystafell Jac. Pe bai Gwen yn onest, doedd ganddi ddim clem beth ddigwyddodd neithiwr. Allai hi ddim fod wedi meddwi – dim ond dau beint yr oedd hi'n cofio eu hyfed. Roedd yn amau efallai bod rhywun wedi llithro rhywbeth i'w diod hi, ond gobeithiai y gallai Jac egluro'r sefyllfa wrthi. Ac egluro'r un pryd i ble y diflannodd yntau a'i gadael.

Agorodd ddrws yr ystafell. Dyna lle'r oedd Jac, yn gorwedd ar ei gefn, ac yno, yn pwyso ar ei frest gyhyrog roedd merch wallt melyn. Syllodd Gwen arni'n fud; doedd y ferch ddim yn gyfarwydd iddi, ond sylwodd fod colur neithiwr yn bwll du o dan ei llygaid.

Teimlodd Gwen y chwd yn codi yn ei stumog. Brysiodd oddi yno, lawr y grisiau a mas drwy'r drws, cyn i Val gael cyfle i ailgodi a gweld beth oedd yn gyfrifol am y sŵn. Cyrhaeddodd cyn belled â'r palmant cyn chwydu, a llwyddodd rywsut i gadw ei gwallt o'i hwyneb wrth i'r chwd a'r dagrau lifo.

Erbyn iddi gyrraedd adre, roedd y dagrau wedi peidio. Aeth am gawod sydyn i olchi'r nos oddi ar ei chorff, brwsiodd ei dannedd mewn ymgais i gael gwared â'r blas annifyr yn ei cheg, ond er cymaint y brwsio roedd blas profiadau'r bore hwnnw yn gwrthod diflannu. Dringodd Gwen i'w gwely a chuddio dan y gynfas.

* * *

Yn ddiweddarach y bore hwnnw, chwiliodd Gareth am ei ffôn a chyfansoddi tecst,

**GARETH:** `Ti'n ok?`

Arhosodd yn amyneddgar am ei hateb drwy'r dydd. Roedd arogl Gwen yn dal ar ei obennydd wrth iddo lithro dan gynfas goch ei wely ei hun y noson honno, ond doedd hi'n amlwg heb deimlo'r angen i ateb ei negeseuon heddiw, heb deimlo'r angen i ddiolch iddo am ei ofal drosti neithiwr. Roedd hi siŵr o fod wedi treulio'r diwrnod gyda Jac. Trodd Gareth ar ei ochr a cheisio cysgu.

## Pennod 20

Dringodd Gwen i'r bws, a chyfarch y gyrrwr newydd yn dwymgalon. Roedd hi wrth ei bodd gyda'r aildrefnu yma o ganlyniad i'w deiseb ddiweddaraf.

"Ma'r pyrf 'di ca'l ei symud i ryw ysgol Saesneg, yn ôl pob tebyg," meddai Helen wrthi.

"Wel, druan ohonyn nhw!" meddai Gwen, a thaflu ei hun yn llon i'w sedd arferol ger y ffenest.

Dyma pryd y daeth hi wyneb yn wyneb â Gareth a'i dymer. Dechreuodd arni cyn iddi gael cyfle i'w gyfarch hyd yn oed.

"Lle ddiawl es ti?"

"Gytre, wrth gwrs," atebodd Gwen yn ddi-hid, ond doedd Gareth heb orffen eto, ddim o bell ffordd …

"Ac o't ti mor brysur o't ti ffaelu anfon un tecst bach i weud lle o't ti? I weud bod ti'n saff? O'dd gyment o stad arno ti … o't ti ddim yn meddwl falle y bydden i'n becso byti ti?" heriodd.

"Na, Gareth," meddai Gwen, â'i llais yn isel a chadarn, "sa i'n treulio drwy'r dydd bob dydd yn meddwl byti ti, jyst achos mai dyna 'yt ti'n neud 'da fi."

Syllodd Helen a Neil ar Gareth, yn gwybod bod creulondeb cyhoeddus Gwen wedi ei anafu. Tynnodd Gareth anadl ddofn, a phenderfynu anwybyddu'r gwirionedd. Doedd e ddim yn mynd i adael iddi gael y gorau arno, ddim y tro yma.

"Berygles ti dy fywyd nos Sadwrn, Gwen. O't ti off dy ben. So fe'n jôc. Mae'n hen bryd i ti dyfu lan."

Chwarddodd Gwen arno. "*God*, ti'n troi mewn i Dad!" meddai, gan fychanu Gareth yn fwriadol. "*Chill out,* nei di? Wy'n olreit. Dim ond ca'l bach o laff o'n i. Falle dylet ti drio fe rywbryd. Nele fe les i ti."

"Dylet ti fod yn ddiolchgar 'mod i wedi troi lan pan nes i. Galle unrhyw beth fod wedi digwydd i ti. Ond, 'na fe, nagyt ti 'di ystyried 'ny. Gallet ti fod wedi cael dy dreisio, Gwen, a fyddet ti ddim callach yn y stad o't ti ynddi."

"Ca' dy ben, Gareth. Gwranda arnot ti dy hunan. Ti fel hen ddyn, w!" meddai Gwen wrtho.

"Sa i'n gwbod pam wy'n trafferthu!" meddai Gareth dan ei anadl wrth syrthio'n ôl i'w sedd ac anobeithio.

"Na – sa i'n gwbod chwaith," daeth ateb miniog Gwen, gan lwyddo i gael y gair olaf unwaith eto a rhoi terfyn twt ar y sgwrs.

Syllodd Gwen drwy'r ffenest a cheisio osgoi'r ddelwedd o Jac a'r ferch anhysbys oedd yn llenwi ei meddwl. Pe na bai Gareth wedi ei 'hachub', hi fyddai wedi cysgu yn ei freichiau. Roedd yn rhaid i Gareth sbwylo'r cwbl, meddyliodd.

Gwelai Helen fod tymer Gareth yn dal i ferwi, ac roedd Gwen yn amlwg wedi cael llond bol arno. Penderfynodd mai'r peth doethaf fyddai peidio ag ymyrryd a gadael i'r ddau gŵlo lawr. Trodd at Neil i wneud yn siŵr ei fod yn iawn.

"Pam na fydden i?" gofynnodd Neil. Roedd yn amlwg fod hwyliau drwg yn lledaenu trwy'r sedd gefn y bore 'ma.

"Jyst gofyn," meddai Helen. "Beth am Simon?"

"Mae e myn'na – gofynna iddo fe dy hunan," meddai Neil

yn swta, a phwyntio bys i gyfeiriad ei frawd bach.

Roedd Neil yn dal i deimlo'n annifyr am golli ei dymer gyda Helen. Roedd e'n ofni iddo ddatgelu gormod. Cymerodd lyfr nodiadau o'i fag ac esgus gwneud ei waith cartre fel ffordd gyfleus o'i hosgoi.

Eisteddodd Helen yn ôl. Bu'n pendroni ers nos Sadwrn sut i gael Neil i agor lan fel y gallai gynnig cydymdeimlad a chymorth iddo, ond gwyddai y gallai wthio gormod a chreu pellter rhyngddynt. Penderfynodd mai'r peth gorau fyddai cadw ati hi ei hun am weddill y diwrnod.

## Pennod 21

Roedd Helen yn eistedd wrth ymyl gwely Steff yn yr ysbyty. Roedd e'n eistedd lan heddiw, ac yn fwy na pharod ei gymorth gyda'r nodiadau roedd Helen yn ceisio eu paratoi.

Roedd e wrth ei fodd yn gweld Helen, ac roedd hi wedi dod â newyddion diweddara Caeglas gyda hi. Roedd Steff yn gwybod popeth am ddadl ddiweddara Gwen a Gareth, ac am dawelwch Neil.

"Beth byti ti?" gofynnodd i Helen. "'Sdim *news* 'da ti, 'dc?"

"Ddim fel'ny," meddai Helen gan wrido. Sylwodd Steff.

"O? Beth yw hyn 'te, Helen? O's rhywbeth wyt ti'n cadw i ti dy hunan?"

"Na," atebodd Helen, ond mynnai'r gwres godi'n fwy amlwg fyth yn ei bochau.

Ac er nad oedd Steff yn ei chredu, roedd yn gweld na fyddai'n dweud mwy wrtho.

Daeth y nyrs i mewn a galw terfyn ar yr oriau ymweld. Cododd Helen a diolch o waelod calon i Steff am ei help. Gwenodd yntau,

"Mae'n olreit," meddai. "Nago'n i'n brysur!" Arwydd arall i Helen fod Steff gryn dipyn yn well. Addawodd hithau gadw mewn cysylltiad ac anfon tecst ato yn y bore. Roedd Steff wrth ei fodd. Gallai ddianc trwy ddrws yr ysbyty am ychydig funudau ar ôl brecwast i'w darllen hi.

* * *

Bedair awr yn ddiweddarach, roedd llygaid Helen yn sych gan flinder. Roedd rhestr orffenedig o gyfeiriadau e-bost a rhifau ffôn ganddi a thair dogfen o gyngor i gyd yn barod i'w hychwanegu at graffiti.com – un o dan y pennawd 'Trais yn y Cartref', yr ail dan y pennawd 'Peryglon cyffuriau ac alcohol', a'r trydydd, 'Cyfeillgarwch / Cariad'.

Gwyddai fod yna beryg ei bod yn rhy amlwg, ond roedd Gwen a Gareth yn rhy brysur yn delio gyda'u problemau eu hunain i sylwi ar broblemau Neil, a doedd Neil druan heb dalu lot o sylw i neb dros y dyddiau diwethaf. A dweud y gwir, doedd hi ddim yn poeni'n ormodol. Trio helpu roedd hi, a phe bai un o'i herthyglau yn gallu cynnig ffordd mas i un ohonyn nhw, neu i unrhyw un arall o ran hynny, fe fyddai'n fwy na bodlon.

Un ar y tro, gan ddilyn nodiadau Steff yn fanwl, ychwanegodd yr erthyglau a'r rhestr at gynnwys y wefan. Wedi iddi orffen, aeth i'r *chat room* a chofrestru dan y ffugenw 'Y Cynghorydd'.

Arhosodd a gwylio'r negeseuon rhwng ffrindiau oedd yn gwneud trefniadau ar gyfer parti pen blwydd dros y penwythnos. Roedd ychydig yn siomedig – doedd neb i'w weld mewn unrhyw wewyr na phoen heno.

Ymddangosodd 'Tiny' ar y wefan, a sythodd Helen ei chefn wrth i'r neges gyntaf ei chyrraedd.

MAE '**TINY**' YN DWEUD:
Wyt ti yna, Cynghorydd?

MAE '**Y CYNGHORYDD**' YN DWEUD:
Ydw.

MAE ‘**TINY**’ YN DWEUD:
Mae gen i ffrind sy’n disgwyl babi. 13 yw hi.

MAE ‘**Y CYNGHORYDD**’ YN DWEUD:
Ydy hi wedi dweud wrth rywun?

MAE ‘**TINY**’ YN DWEUD:
Na. Gormod o ofn. Wedi trio, ond neb am wrando.

MAE ‘**Y CYNGHORYDD**’ YN DWEUD:
Rhaid iddi ddweud wrth rhywun cyfrifol. Rhiant / doctor / athro.

MAE ‘**TINY**’ YN DWEUD:
Na.

MAE ‘**Y CYNGHORYDD**’ YN DWEUD:
Beth am ffrind / brawd / chwaer?

MAE ‘**TINY**’ YN DWEUD:
Problemau eu hunain gyda nhw.

MAE ‘**Y CYNGHORYDD**’ YN DWEUD:
Rhaid iddi ddweud wrth rywun. Dweud wrth rywun dieithr os yw hynny’n haws, ond beth bynnag mae hi’n benderfynu, dyle hi wneud cyn gynted ag y bo modd, iddi gael digon o amser i wneud y penderfyniad gorau iddi hi a’r babi.

Ryw hanner awr yn ddiweddarach, diffoddodd Helen ei chyfrifiadur yn fodlon ei byd. Roedd ‘Tiny’, pwy bynnag oedd hi, wedi addo dwyn perswâd ar ei ffrind i rannu ei chyfrinach, ac roedd hefyd wedi codi rhif ffôn y ganolfan iechyd leol. Roedd rhyw wefr newydd yn cartrefu'i hun yn Helen, ac yn fwy na hynny roedd hi'n edrych ymlaen at wneud y gwaith i'w gynnal.

Aeth ati i redeg bath, ac wrth i'r dŵr cynnes lifo iddo, gafaelodd yn ei ffôn a thecstio Steff yn ôl ei haddewid.

**HELEN:** `Popeth wedi gweithio mas 'da'r llwytho. Dylet ti fod yn browd o Graffiti. Cymer olwg os cei di gyfle. H x`

Cysgodd Helen yn dawel iawn y noson honno.

## Pennod 22

Wrth gamu oddi ar y bws y bore canlynol, teimlodd Gwen law fach yn pwyso'n ysgafn ar ei braich. Trodd i weld Lisa'n edrych arni.

"Ie?" gofynnodd yn ddiamynedd, cyn ychwanegu, "Grynda, os yw Rhys a Rhodri 'di bod yn pigo arnot ti 'to, gwed wrth Neil."

Edrychodd Lisa arni, a bron sibrwd, "Alla i siarad 'da ti?"

"Byti be?"

"Ma fe'n bwysig," ymbiliodd.

Ymddangosodd Helen wrth eu hochr a chael gair tawel yng nghlust Gwen gan ofyn iddi wrando a'i rhybuddio i fod yn garedig.

Brysiodd Gwen ymaith, cyn troi a chyfarth ar Lisa i'w dilyn. Ddywedodd yr un o'r ddwy air wrth ei gilydd wrth iddynt grwydro'r coridorau yn chwilio am ystafell ddosbarth wag.

Eisteddodd Gwen ar fwrdd heb dynnu'i chot, ac arhosodd i Lisa gau'r drws ar ei hôl.

"Wel?" mynnodd. "Beth sy'n dy boeni di?"

Edrychodd Lisa arni'n hir. Roedd hi'n amlwg yn anghysurus, ac roedd dagrau'n cronni yn ei llygaid. O'r diwedd, mentrodd siarad. "Fi'n disgwyl," meddai, â'i llais crynedig yn torri.

Rhewodd Gwen. Doedd hi ddim yn siŵr iddi glywed yn iawn. "Beth?" gofynnodd, gan chwilio am gadarnhad mai dyna a ddywedodd Lisa, ond ni allai'r ferch ailgyfaddef.

"Lisa, y dwpsen! Beth o't ti'n feddwl o't ti'n neud, gwed?" meddai Gwen, a'i thro hi oedd hi nawr i syllu ar Lisa.

Doedd Gwen ddim yn deall pam bod Lisa am ddweud wrthi hi o bawb. Os rhywbeth, fu Gwen yn ddim byd ond cas a diamynedd gyda hon drwy gydol ei thair blynedd yn yr Ysgol Gyfun. Meddyliodd yn ôl dros y troeon lle bu Lisa'n garedig wrthi hi, yr adegau hynny pan geisiodd siarad â hi; tybed ai trio cyfaddef roedd hi bryd hynny hefyd?

"O'n i'n meddwl y byddet ti'n gwybod beth i neud," llwyddodd Lisa i ddatgan drwy'i dagrau. "Ti wastad yn ymddangos mor gryf, mor *sorted*."

Rhyfedd, meddyliodd Gwen, sut roedd ganddi'r ddelwedd yma o fod yn ferch hyderus, alluog. Ychydig iawn o bobl a wyddai gymaint o anhrefn oedd yn ei bywyd hi ei hun mewn gwirionedd. Efallai nad oedd Gwen yn gallu rhoi trefn ar ei bywyd ei hun, ond roedd hi'n haws o lawer rhoi trefn ar fywyd rhywun arall. Sylweddolodd fod angen help ac arweiniad ar Lisa, a phenderfynodd na fyddai'n ei siomi. Daeth synnwyr cyffredin Gwen yn ôl o rywle. Anfonodd Lisa i esgusodi ei hun o'i gwers gyntaf a dweud wrthi am gwrdd â hi o flaen ystafell y nyrs ymhen deng munud.

Cyn gadael yr ystafell, trodd Lisa at Gwen a gofyn un ffafr arall. "Ddoi di gyda fi i weud wrth Mam a Dad?"

"Dof," atebodd Gwen yn syml, ddim cweit yn deall pam ei bod yn addo cymaint, ond ar yr un pryd yn gwybod y byddai angen cefnogaeth arni hithau pe byddai yn yr un sefyllfa.

Diflannodd Lisa drwy'r drws. Ni wyddai hi mo hynny,

ond roedd ei newyddion hi wedi cynnig cyfle arall i Gwen anwybyddu ei phroblemau ei hun. Sylwodd Gwen ar Helen yn cerdded heibio'r ffenest ar ei ffordd i'r lolfa, a brysiodd allan tuag ati.

"Ot ti'n gwybod, nago't ti?" gofynnodd Gwen wrthi. "Shwt? Mae Lisa'n dweud nag yw hi wedi gweud wrth neb ..."

Gwenodd Helen yn dyner arni. "Jyst gwbod," meddai'n dawel, gan gadw ei chyfrinach a cherdded oddi yno.

## Pennod 23

"Shhhh!" meddai Neil gan neidio ar ei wely a chlosio at Simon. Roedd yn amau'n fawr a allai eu tad eu clywed dros sŵn y llestri a'r celfi'n chwalu yn y gegin islaw. Roedd y clo wedi ei dynnu'n dynn, ond doedd Neil ddim yn siŵr faint o rwystr fyddai hwnnw os byddai eu tad yn penderfynu chwalu ei ffordd drwy'r drws heno.

Mwythodd wallt ei frawd a'i annog i geisio cysgu. Sychodd y dagrau oddi ar fochau Simon. Wyddai e ddim ai ceisio darbwyllo Simon neu fe ei hunan roedd e wrth ddweud, "Fydd popeth yn iawn erbyn fory, gei di weld."

Fel hyn y bu am gyfnod, gyda Simon yn sniffian crio wrth ei ochr, a'i ffôn symudol yn llosgi yn ei boced wrth iddo ystyried p'un ai i alw'r heddlu neu beidio. Roedd e'n caru ei dad, a doedd e ddim am greu trafferthion iddo. Doedd e'n sicr ddim am gael ei wahanu oddi wrth Simon a chael eu hanfon i ryw gartref plant – byddai hynny'n torri calon Simon – ond am ba hyd y gallen nhw barhau i fyw fel hyn, yn ofnus ac yn cuddio yn eu cartref eu hunain? Rhyfeddai Neil fel roedd eu bywydau wedi newid mewn blwyddyn.

Roedd Neil wedi gofalu am ei frawd ers colli ei fam. Wedi gwneud yn siŵr fod bwyd ar y bwrdd iddo, fod ganddo ddillad glân i'w gwisgo, wedi teimlo'n aeddfed a chyfrifol. Ond heno, teimlai Neil yn ifanc iawn. Doedd ei feddwl prin yn gallu ymdopi gyda'r hyn oedd yn digwydd, ac ar ben hynny teimlai ar ei ben ei hunan gyda'r cyfan. Roedd e'n hynod, hynod unig.

Sylwodd fod Simon wedi cwympo i gysgu, a chododd oddi ar y gwely gan ofalu peidio â'i ddeffro. Aeth at y cyfrifiadur. Crwydrodd y we i graffiti.com a sylwi bod 'Y Cynghorydd' yn y *chat room* heno eto.

Llyncodd ei boer. Roedd yn rhaid iddo wneud rhywbeth, doedd ganddo nunlle arall i droi. Yn araf, dechreuodd ei fysedd ddawnsio ar hyd yr allweddell a chyn pen dim roedd ei neges yn glir ar y sgrin i unrhyw un a ddymunai ei darllen.

Mae '**YR ANGHENFIL**' yn dweud:
Wy 'di gorfod cloi fi a 'mrawd yn 'yn stafell achos bod dad yn smasho'r tŷ lawr stâr. Ni'n dou'n olreit. So fe wedi cyffwrdd ynon ni tro 'ma. Ma rhaid i fi neud rhywbeth. Allwn ni byth â mynd mla'n fel hyn. Help.

Daeth ateb gan 'Y Cynghorydd' bron yn syth.

Mae '**Y CYNGHORYDD**' yn dweud:
Ffonia'r heddlu! Plis! Gwna fe nawr!

Mae '**YR ANGHENFIL**' yn dweud:
Na. Ddim moyn gwahanu'r teulu.

Mae '**Y CYNGHORYDD**' yn dweud:
Falle gele fe ddim ei arestio. Mae'n bosib y gall yr heddlu gynnig ffyrdd i helpu dy dad. Cynghori, sesiynau gyda'r gwasanaethau cymdeithasol, y math yna o beth, ond heb i ti ddweud wrthyn nhw, dyw'r opsiynau hynny ddim ar gael iddo fe.

Wrth ysgrifennu, roedd calon Helen yn rasio. Gweddïai fod ei ffrindiau'n iawn. Cyfeiriodd Neil at y rhestr rifau ffôn, a cheisiodd ei gymell i adael y tŷ – roedd canolfan leol lle gallai fynd i gysgu heno, i'w ddiogelu ei hun, i ddiogelu Simon.

Ond roedd Neil yn gyndyn iawn o wneud unrhyw beth ar frys. Roedd Simon yn cysgu, a'i dad wedi tawelu rywfaint hefyd. Doedd dim llestr arall ar ôl yn y tŷ iddo ei dorri.

Mae '**YR ANGHENFIL**' yn dweud:
Fory falle …

Mae '**JAFFA**' yn dweud:
Ma 'nghariad i newydd dympo fi …

Diflannodd Neil, gan ddiffodd ei gyfrifiadur, a dringo i'w wely yn gwbl effro, gan wrando am symudiad nesaf ei dad.

Rhegodd Helen. Roedd hi'n siŵr ei bod bron iawn â dwyn perswâd ar Neil heno, ond roedd e wedi mynd ac yn hytrach roedd Jaffa moyn ei sylw a'i chydymdeimlad hi nawr. Teipiodd ymateb i Jaffa yn araf, ond roedd ei meddyliau hi'n dal i weddïo am ddiogelwch y ddau frawd.

## Pennod 24

Eisteddai Lisa a Gwen wrth gyfrifiadur yn yr ysgol amser cinio. Synnai Gwen at aeddfedrwydd a dewrder Lisa dros y dyddiau diwethaf. Roedd hi fel petai hi wedi canfod nerth ynddi ei hun wedi iddi lwyddo i rannu ei chyfrinach â rhywun o'r diwedd. Aeth Gwen gyda Lisa i ddweud wrth ei rhieni, ac er eu bod wedi cael sioc, a siom, roeddynt o leiaf wedi addo cefnogi eu merch.

Roedd Lisa wedi penderfynu cadw'r babi. Doedd ganddi fawr o ddewis mewn gwirionedd gan ei bod eisoes yn rhy hwyr iddi gael erthyliad. Doedd Gwen ddim yn gallu peidio â meddwl bod rhywfaint o bai am hynny arni hi. Pe byddai ond wedi gwrando ar Lisa ynghynt, byddai pethau'n wahanol o bosib. Fyddai hi ddim yn meiddio dweud y fath beth wrth Lisa, wrth gwrs, ond serch hynny roedd ei heuogrwydd yn cnoi ar adegau.

Yn sgil ei chyfeillgarwch â Lisa, roedd Gwen wedi dechrau ailystyried ei hagwedd hi ei hun at fywyd. Roedd Lisa i weld yn ymdopi'n dda. Roedd ei bywyd cyfan wedi ei droi â'i ben i waered, ond roedd hi'n gwbl barod i dderbyn ei chamgymeriad, i dderbyn cyfrifoldeb a byw gyda hynny weddill ei hoes. Mewn sawl ffordd, roedd Lisa'n llawer mwy aeddfed na Gwen er gwaetha'r gwahaniaeth oedran.

Yr unig beth nad oedd Lisa wedi ei ddatgelu hyd yma oedd pwy oedd tad y babi. Mynnai gadw'r un ffaith yna iddi hi ei hun, gan ddadlau nad oedd hi'n gweld pa wahaniaeth fyddai datgelu hynny'n ei wneud. Y cyfan ddywedodd hi oedd fod y berthynas wedi bod yn un wirion, yn gamgymeriad llwyr, ac wedi dod i ben cyn iddi ddarganfod ei bod hi'n feichiog. Doedd e ddim yn rhan o'i bywyd hi mwyach, a doedd ganddo ddim gronyn o ddiddordeb ynddi rhagor chwaith. Nid tad fel'na roedd Lisa moyn i'w phlentyn hi.

Yn rhyfedd iawn, teimlai Gwen y gallai siarad yn rhwydd â Lisa. Trafododd ei phroblemau hithau gyda hi hefyd. Dysgodd y gallai wrando a rhannu, a dim ond wrth Lisa y cyfaddefodd Gwen fod Jac wedi ei thrin yn wael. Roedd rhyw fath o debygrwydd yn eu profiadau yn yr ystyr yna.

Edrychodd y ddwy ar y ddeiseb newydd ar y sgrin o'u blaenau am y tro olaf.

"Ti'n gwbod beth?" meddai Lisa. "Graffiti yw'r peth gorau sy 'di digwydd i mi dros y misoedd diwethaf. Heb 'Y Cynghorydd', bydden i'n siŵr o fod dal heb weud wrth neb."

Cytunodd Gwen, gan ei hatgoffa'i hun i gofio dweud wrth Steff.

"Wy'n falch 'mod i'n gallu cyfrannu nawr," meddai Lisa. "Fi moyn i 'mhrofiad i fod o help i bobl eraill."

Unwaith eto, synnodd Gwen at aeddfedrwydd y ddarpar-fam wrth ei hochor. Roedd Lisa wedi canfod hyder o rywle.

"Barod, 'te?" gofynnodd Gwen.

"Odw, glei!"

Rhoddodd y ddwy law bob un ar y llygoden, cyfeirio'r arwydd a gwasgu *'send'* gyda'i gilydd.

"Rown ni wythnos iddo fe, ie?" gofynnodd Gwen

"Ie," cytunodd Lisa. "Gewn ni weld beth wnaiff plant Caeglas o hwnna!"

Diffoddodd Gwen y cyfrifiadur a rhoi ei braich am ysgwydd eiddil ei ffrind newydd wrth ei harwain yn ofalus allan o'r ystafell gyfrifiaduron a draw i'r ffreutur i gael cinio.

## Pennod 25

Roedd bwlch mwy na sedd wag Steff wedi tyfu rhwng Gwen a Gareth. Roedd y ddau'n dal i wrthod siarad â'i gilydd, yn ddigon hapus i esgus nad oedd y llall yn bodoli o gwbl, ac roedd Neil a Helen yn dechrau teimlo'r straen. Gobeithiai Helen ar y dechrau y byddai'r ddau yn anghofio'r cyfan mewn dim o dro, ond roedd pethau i weld yn mynd yn waeth gyda phob siwrnai newydd.

Oherwydd y lletchwithdod yma, doedd y criw heb fod i weld Steff gyda'i gilydd. Roedd e adre erbyn hyn, a phawb wedi ymweld yn unigol. Edrychai'n dda, er ei fod yn welw o hyd, ond roedd yn dechrau diflasu ar wylio *This Morning* ac yn ysu am gael dod nôl i'r ysgol! Roedd e wrth gwrs yn cadw cysylltiad gyda'r wefan, ac yn hynod falch o'i llwyddiant. Disgwyliai'r meddygon fod gan Steff druan un wythnos hir arall o'i flaen cyn y gallai fentro ystyried dychwelyd i'r ysgol.

Sylwodd Helen ar ddyrnau Neil, a'r croen arnynt wedi rhwygo'n goch. Cymerodd ei law yn ei llaw hithau, a gofyn iddo'n dawel a oedd e wedi bod yn ymladd.

Tynnodd ei law oddi yno'n sydyn, gan wadu'r cwbl. Treuliai lawer o'i amser yn osgoi llygaid Helen. Ofnai ei bod hi'n ei nabod e'n rhy dda, ac i Helen, roedd gwybod heb allu helpu bron â'i lladd. Ond allai hi ddim ei fradychu, feiddiai hi ddim datgelu ei bod yn gwybod. Byddai hefyd yn peryglu ethos y wefan gyfan o wneud hynny.

Sylwodd Gwen fod Rhys a Rhodri yn dechrau ar eu hantics boreol ac yn neidio fel ffyliaid o gwmpas Lisa. Ni allai ofyn i Gareth na Neil fynd i roi trefn arnynt. Cododd a martsio atynt. Cydiodd yn eu siwmperi a'u taflu'n ôl i'w seddau priodol.

"Gryndwch," gwaeddodd Gwen, "os wela i chi o fewn hanner canllath i Lisa eto, fe wna i fwclis o'ch ceilliau chi. Chi'n deall?"

Doedd yr un o'r ddau yn gallu ateb – roedden nhw'n rhy brysur yn ystyried gwir niwed y gosb dan sylw.

"Deall?" gofynnodd Gwen eto, a derbyn dau ben bach yn siglo fel cŵn yng nghefn car fel yr ateb yr oedd hi'n chwilio amdano. Bodlonodd ar hynny, cyn troi, wincio ar Lisa a dychwelyd i'w sedd.

"Ti 'di newid dy gân," meddai Helen, yn edmygu agwedd newydd ei ffrind wrth iddi eistedd.

"Ma isie i rywun edrych ar ei hôl hi," meddai Gwen. "A gan mai yndda i nath hi ymddiried yn y lle cynta, 'na'r peth lleia alla i neud."

Gwenodd Helen yn dawel wrthi hi ei hun. Roedd Graffiti yn dylanwadu'n bositif ar un person arall o leia. Buan iawn y chwalwyd y wên. Daeth chwerthiniad byr a chwerw o gyfeiriad Gareth.

"Falle dylet ti sorto dy hunan mas cyn trio datrys problemau *slappers* bach blwyddyn naw."

Roedd Gareth wedi dewis claddu ei wir deimladau at Gwen mewn chwerwder. Ond roedd y Gwen newydd aeddfed yn gwybod yn well na chodi i'r fath sylwadau. Yn hytrach na bachu'r abwyd a gweiddi'n ôl, eisteddodd yn ôl ac anwybyddu'r creadur truenus yr ochr arall i'r sedd gefn.

## Pennod 26

Roedd Steff wrth ei fodd yn gorweddian ar y soffa, o'r golwg bron y tu ôl i'r tusw enfawr o flodau ddaeth Helen yn anrheg iddo. Doedd hi ddim wedi dod â siocled iddo'n fwriadol, gan fod Steff wedi dechrau bwyta'n fwy iach o lawer ers y driniaeth. Doedd e ddim wedi cymaint ag arogli Mars bar ers chwe wythnos. Roedd mwy o liw ar ei ruddiau heno na'r tro diwethaf i Helen ei weld. Roedd yn amlwg iawn yn falch o gael cwmni.

Adroddodd Helen hanes yr ysgol wrtho, gan gynnwys holl fanylion diweddara'r sefyllfa rhwng Gwen a Gareth.

"Drwy gicio a brathu …" meddai Steff.

"Sa i'n gwybod am 'ny, Steff. Dy'n nhw ddim hyd yn oed yn gallu edrych ar ei gilydd ar hyn o bryd," meddai Helen. Adroddodd Helen hanes Lisa wrtho hefyd, a sylweddolodd Steff mai Lisa oedd y ferch ar y wefan.

"Ti fel Sherlock Holmes De Cymru, yn dwyt!" meddai wrthi. "Hi sy'n gyfrifol am y ddeiseb newydd 'ma felly?"

"Ie," atebodd Helen. "Gyda chydig o help gan Gwen, wrth gwrs."

Roedd Steff yn falch o glywed hynny, yn falch nad oedd Gwen wedi newid gormod er gwaetha'r surni newydd rhyngddi hi a Gareth. O leia roedd chydig o'r hen sbarc yn dal i losgi ynddi.

"Whare teg i ti, Hels – ti'n eitha da ar y busnes cynghori 'ma," meddai. Gwridodd Helen, yn hynod falch fod rhywun o leia yn gwerthfawrogi ei gwaith caled, a chan fod Steff yn gwybod mai Helen oedd ‘Y Cynghorydd’, roedd e’n rhywun allai ddweud hynny wrthi hefyd.

“Dylet ti feddwl am neud hyn fel gyrfa,” oedd cynnig nesaf Steff.

“Wow nawr!” meddai Helen. “Un cam ar y tro. Sa i cweit ’di gorffen sorto mas problemau’r disgyblion ’to ...”

“Pam? O’s mwy o *gossip,* ’te?!” gofynnodd Steff, yn glafoerio. “Unrhyw un fi’n nabod?”

Edrychodd Helen arno gydag edrychiad oedd yn dweud yn ddigon clir na fyddai byth yn datgelu enwau. Doedd Steff ddim wedi’i siomi’n ormodol. Doedd e ddim gwaeth na thrio.

Meddyliodd yn ôl i’w sgwrs ddiwethaf yn yr ysbyty, a gofyn i Helen a oedd unrhyw ddatblygiadau wedi bod gyda’i ffansi-man. Gwadodd Helen fodolaeth y fath berson, ond roedd Steff yn ddigon craff. Roedd ei llygaid yn dweud fel arall.

“Der mla’n, Hels – elli di ’weu’tha i,” meddai Steff. “Sa i’n gweld neb i weud wrthyn nhw ta beth!”

Edrychodd Helen arno a gwenu’n swil wrth gyfaddef. “Ocê, oes, ma ’na rywun, ond sa i’n mynd i weud pwy ’thot ti.”

“Pam? Odw i’n ei nabod e?” gofynnodd Steff yn syth.

Trodd meddwl Helen at Neil. Druan o Neil. Roedd ganddo ddigon ar ei blât heb iddi hi gymhlethu pethau drwy gyfaddef ei bod yn ei ffansïo.

“Falle,” oedd ateb pwyllog Helen. “Ond sa i’n gweud wrth neb nes bo fi’n gwybod yn union be sy’n mynd mla’n,” meddai.

Roedd yn rhaid i Steff dderbyn hynny. Gwyddai erbyn

hyn fod trio tynnu cyfrinach o enau Helen fel tynnu gwaed o garreg.

"Ti'n edrych 'mlaen at ddod nôl, 'te?" gofynnodd Helen iddo.

"Odw," oedd ateb gonest Steff. Roedd e'n edrych ymlaen at ddod nôl i'r ysgol. Roedd ei fam yn bygwth mynd ag e yno yn y car nes ei fod wedi gwella'n llwyr, ond doedd e ddim am adael i hynny ddigwydd. Yr un peth yr oedd Steff yn edrych ymlaen ato'n fwy na dim oedd cael dychwelyd i sedd gefn y bws, i ganol ei griw o ffrindiau, a theithio i'r ysgol yn eu plith.

Roedd Helen yn edrych ymlaen at ei gael yn ôl hefyd, "Rhwng Gwen, Gareth a Neil," meddai, "fyddi di'n *light relief*!"

## Pennod 27

"Na," meddai'r Prifathro, a hynny am y degfed tro ers iddo alw Gwen, Gareth a Lisa i'w swyddfa y bore hwnnw. Daeth y neges i'r lolfa drwy Lisa ben bore, a dim ond dan orfodaeth Mr Morris y Prif y gallasai Gwen a Gareth fod wedi diodde cwmni ei gilydd gyhyd.

Dadlau am ganlyniadau'r ddeiseb ddiweddaraf oedden nhw. Roedd Gwen a Lisa wedi cynnig y dylai'r ysgol osod peiriannau condoms yn y toiledau, ac roedd ganddynt dros wyth gant o enwau ar y ddeiseb, gan gynnwys ambell enw o blith yr athrawon. Ond, yn anffodus, roedd y Prifathro wedi llwyddo i ddarganfod pwy oedd tu ôl i'r ddeiseb. Roedd y si ar led ymysg y disgyblion bellach am feichiogrwydd Lisa – a doedd hi ddim yn anodd iawn dyfalu gan fod ei bol yn dechrau chwyddo'n lwmpyn bach amlwg o dan ei siwmper ysgol.

Roedd Lisa wedi dechrau trwy egluro i Mr Morris y byddai hi wedi prynu condoms, os byddai rhai wedi bod ar gael iddi yn yr ysgol.

"Bydde fe'n lot llai *embarrassing* na gorfod gofyn am rai mewn siop," meddai, wrth edrych ar wyneb y Prif a sylwi ei fod bron yr un lliw'n union â'r siwt lwyd yr oedd wedi dewis ei gwisgo heddiw. Roedd Lisa'n dal i swnio'n gwbl resymol a chytbwys, ond roedd Gwen yn dechrau colli'i thymer. Doedd hi ddim yn deall pam fod y Prifathro mor negyddol.

Neidiai mwstásh Mr Morris ar draws ei wefus uchaf wrth iddo wrando ar Lisa. Codai ei aeliau trwm yn uwch na'i sbectol mewn anghrediniaeth. Doedd e ddim yn bwriadu ildio'r un fodfedd, ac ni welai reswm dros wneud y cyfarfod yma'n un hawdd iddyn nhw.

Er nad oedd Gareth a Gwen yn siarad â'i gilydd, roedd Gareth wedi bod yn dadlau ei bwynt hefyd. Lisa a'i darbwyllodd i ddod yn y diwedd. Roedd Gareth yn teimlo'n euog am ei sylwadau cas amdani ar y bws, a gwyddai fod dadleuon Lisa'n dal dŵr. Byddai safbwynt bachgen aeddfed a chall yn sicr o helpu'r achos gyda'r Prifathro. Yn anffodus, doedd e ddim i weld yn helpu rhyw lawer ar hyn o bryd.

Tro Gwen oedd hi i siarad nawr, a dwedodd wrth Mr Morris yn gwbl ddiflewyn-ar-dafod, "Mae degau o ddisgyblion yr ysgol yn cael rhyw heb ystyried y canlyniadau, Mr Morris."

Mentrodd Gareth agor ei geg i egluro mai'r hyn roedd Gwen yn ei olygu oedd nad Lisa oedd yr unig ddisgybl yn yr ysgol oedd yn cael rhyw heb ystyried yr oblygiadau'n llawn. Teimlai Gwen, yn ei thymer, fod y sylw olaf hwn wedi ei anelu'n benodol ati hi. Roedd ei gwaed hi'n berwi gan yr hyn oedd hi'n deimlo oedd yn feirniadaeth gan ei chyn-gyfaill. Doedd gan Gareth ddim syniad beth ddigwyddodd rhyngddi hi a Jac. Roedd e'n dod i gasgliadau am y berthynas gyfan ar ôl gweld y cyflwr oedd arni ar un noson benodol.

"Dydw i ddim am osod y peiriannau, dydw i ddim hyd yn oed yn fodlon cynnig y pwnc fel testun trafod yn y Pwyllgor Llywodraethwyr nesaf. A hynny am y rheswm syml nad ydw i'n credu y dylai'r ysgol annog perthynas rywiol ymhlith ei disgyblion, yn enwedig o ystyried bod o leia 80% o'r disgyblion hynny yn rhy ifanc i gael rhyw o gwbl yn llygad y gyfraith."

"So 'na'n neud unrhyw wahaniaeth, yn amlwg!" ffrwydrodd Gwen, gan fethu â chredu mor naïf oedd Mr Morris, yn enwedig o ystyried fod merch feichiog dair ar ddeg oed yn sefyll yno o flaen ei ddesg!

"Roedd 'na bump beichiogrwydd ymysg disgyblion yr ysgol yn ystod y flwyddyn ddiwethaf, ac mae'r rheini yn rhai rydyn ni'n gwybod amdanyn nhw. Beth am yr holl ferched eraill sydd falle wedi canfod eu hunain yn yr un sefyllfa?" parhaodd Gwen, gan geisio ysgwyd y Prifathro gyda'i ffeithiau.

"Mae Cymru'n un o'r gwledydd uchaf yn Ewrop o ran y lefelau o feichiogrwydd ymysg merched yn eu harddegau. Does bosib eich bod chi am wadu hynny hefyd? Onid lle'r ysgol yw derbyn ystadegau fel hyn, a gwneud popeth o fewn ei gallu i amddiffyn y disgyblion gymaint ag sy'n bosib?"

"Na. Mae'n ddrwg 'da fi. Yn bendant, na. Sa i'n bwriadu trafod y peth rhagor ..." meddai'r Prifathro eto.

Roedd Gareth a Lisa wedi tawelu erbyn hyn. Doedden nhw ddim yn gweld unrhyw fodd o'i ddarbwyllo nawr. Chwarae teg i Gwen, roedd hi'n dal i drio, yn dal i gyflwyno ei dadl yn hyderus a huawdl er gwaethaf ei thymer, ond roedd hi'n amlwg yn nofio yn erbyn y llif.

"Mae'r drafodaeth hon ar ben, Gwen. Mae'n ddrwg gen i, ond mae'n rhaid i mi ofyn i chi'ch tri adael y swyddfa nawr – mae cyfarfod arall 'da fi cyn hir ..."

Cododd y Prifathro a mynd i agor drws ei swyddfa. Safodd yno'n dawel, yn disgwyl i'r tri godi a cherdded allan.

Rhoddodd Gwen un cynnig arall arni. "A beth am yr holl

wersi addysg ryw?" oedd ei chwestiwn nesaf. "Chi'n ddigon parod i wthio'r ffeithiau am bob afiechyd rhywiol dan haul i lawr ein gyddfau ni o'n hwythnosau cynta ni yn yr ysgol, ond eto dych chi ddim yn fodlon cynnig ffyrdd ymarferol o atal y fath afiechydon?"

"Dyna ddigon, Gwen! Byddai'n well i ti ganolbwyntio ar dy ddyfodol dy hunan, o ystyried yr hyn ddigwyddodd yn gynharach y tymor hwn ..." oedd geiriau olaf y Prifathro wrth iddo eu harwain o'r swyddfa a chau'r drws yn glep ar eu holau.

Roedd ysbryd y tri wedi torri, ond roedd Gwen yn berwi. Lisa gymerodd yr awenau eto wrth gerdded oddi wrth swyddfa'r Prifathro.

"Diolch i ti, Gwen – siarades ti'n dda 'dag e! Licen i gael dy hyder di."

"Pa ddefnydd yw hyder os nag o's neb yn gwrando arnot ti, dwed?" atebodd Gwen yn sur.

"Fe drion ni, Gwen, a 'na beth sy'n bwysig. Allwn ni ddim ennill pob brwydr," meddai Lisa.

Edrychodd Gareth ar Gwen. Gallai weld arni ei bod wedi'i siomi. Roedd hi wedi mynd i ystafell y Prifathro ar grwsâd yn enw ei ffrind newydd, ac roedd hi wedi methu. A doedd Gwen, o bawb, ddim yn gyfarwydd â methu. Siaradodd Gareth â hi am y tro cyntaf ers wythnosau, gan geisio codi'i chalon.

"Ma Lisa'n iawn ..." dechreuodd, â'i lais yn garedig. Ond roedd hynny'n ddigon. Daeth Gareth yn darged newydd i dymer ddrwg Gwen.

"Petait ti wedi bod yn fwy cefnogol i mewn yna, yn hytrach na chymryd y cyfle i daflu ensyniadau amdanaf i, falle y byddai'r gweithwyr yma i osod y peiriannau cyn diwedd yr wythnos!"

Roedd Gareth yn amau hynny rywsut, ac roedd yn grac gyda Gwen am wneud yr hyn roedd hi wastad yn ei wneud. Roedd hi'n cymryd yn ganiataol mai hi oedd yr unig beth ar ei feddwl byth a beunydd. Doedd ei fyd ddim yn troi'n gyfan gwbl o'i hamgylch hi, ac roedd yn fwy nag abl i ffurfio dadleuon drosto'i hun pan gredai'n gryf mewn achos. Dechreuodd ddweud hynny wrthi.

Sylweddolodd Lisa fod mwy i'r ddadl hon na pheiriannau condoms, a dihangodd yn dawel yn ôl i'w gwers, gan adael y ddau ddisgybl chweched dosbarth yn cega ar ei gilydd fel plant bach ar ganol y coridor.

Buan iawn y penderfynodd Gwen ei bod hithau wedi cael llond bol ar y ddadl, a chefnodd ar Gareth a dechrau cerdded i ffwrdd.

"*Typical*!" gwaeddodd yntau ar ei hôl hi. "Os nagyt ti'n ca'l dy ffordd dy hunan, ti jyst yn cerdded off i drio ffindo rhywun neith blygu i ti. Wel, nage fel 'na ma 'ddi, Gwen, a ma isie i ti sylweddoli 'ny ..."

Ond roedd hi wedi diflannu rownd y tro yn y coridor, a doedd Gareth ddim yn gwybod a oedd hi wedi clywed, neu a oedd hi wedi dewis peidio â chlywed. Y naill ffordd neu'r llall, roedd hi'n amlwg fod pethau'n waeth rhyngddynt nag erioed.

## Pennod 28

Cododd Neil ei ben i weini ar y cwsmer oedd newydd gyrraedd. Cafodd syndod o weld mai Helen oedd yno, gyda Simon yn gafael yn dynn yn ei llaw. Deallodd Neil ar unwaith fod rhywbeth o'i le.

"Be sy'n bod? Beth ddigwyddodd?" dechreuodd holi ei frawd, gan ddod allan o du ôl i'r cownter a phlygu i edrych i wyneb Simon. Roedd olion dagrau yno.

"Mae Simon yn dod i aros gyda Mam a fi," meddai Helen yn dawel. Ni wyddai lle i ddechrau egluro digwyddiadau'r noson.

Suddodd calon Neil. Roedd ei dad wedi gwneud rhywbeth, wedi brifo Simon, a doedd e ddim yno i'w amddiffyn e. Dechreuodd Neil chwilio am gleisiau amlwg ar ei frawd bach, gan ymddiheuro drosodd a throsodd, a cheisio sicrhau fod Simon yn iawn.

"Neil, pwylla. Mae popeth yn iawn – gyrhaeddes i mewn pryd ..." meddai Helen, gan obeithio lleddfu tipyn ar bryderon ei ffrind.

"Mae'n iawn, Neil," meddai Simon yn dawel. "Ges i ofan, 'na i gyd. O'n i ddim yn gwybod beth i neud ..."

Ymddangosodd Mr Patel wrth ddrws y stordy. Edrychodd ar Neil, a'i aeliau'n codi i gwestiynu beth oedd y drafodaeth rhwng y tri.

"Dere draw ar ôl i ti orffen dy shifft," meddai Helen wrtho, gan synhwyro chwilfrydedd Mr Patel ac anniddigrwydd Neil. "Gei di'r hanes bryd 'ny."

Llusgodd awr olaf shifft Neil yn boenus o araf. Edrychai ar y cloc bob munud a thaeru nad oedd y bysedd yn symud o gwbl. O'r diwedd, daeth yn amser iddo adael, ac wedi cyfri'r enillion, rhedodd am y drws ac am dŷ Helen.

Erbyn iddo gyrraedd, roedd Simon yn cysgu'n sownd. Roedd Neil am ei ddeffro, am wneud yn siŵr nad oedd eu tad wedi gwneud unrhyw niwed parhaol, ond llwyddodd Helen i'w ddarbwyllo fel arall.

"Gath e sioc," meddai. "Ma angen iddo fe gysgu."

Cynigiodd baned o de i Neil, cyn ei gymell i eistedd ar y soffa a dechrau egluro helyntion y noson.

Roedd Helen wrthi'n gwneud ei gwaith fel 'Y Cynghorydd' yn gynharach y noson honno pan ddaeth neges i'r wefan gan 'Yr Anghenfil' yn gofyn am help. Cyfaddefodd Helen wrtho ei bod yn amau ers tro mai fe oedd 'Yr Anghenfil'. Penderfynodd fynd draw i'r tŷ yn hytrach na thrio cynnig help diwyneb. Pan gyrhaeddodd hi, roedd Simon wrthi'n trio dringo i do'r garej drwy ffenest ystafell wely Neil. Gallai glywed sŵn gweiddi a chwalu llestri yn dod o'r tu mewn, a ffoniodd yr heddlu yn y fan a'r lle.

"Beth?!" gwaeddodd Neil, gan banicio wrth glywed Helen yn sôn am yr heddlu. "Doedd gen ti ddim hawl i ymyrryd fel hyn. O's 'da ti syniad beth wyt ti wedi'i neud?"

"Simon ofynnodd i fi wneud," meddai Helen yn bwyllog. Roedd hi wedi rhag-weld ei ddychryn. "O'dd llond twll o ofn arno fe, Neil, a nago'n i'n gwbod beth i neud."

Yn ôl Simon, doedd e erioed wedi gweld eu tad mor wael â hyn o'r blaen. Roedd e wedi bod yn trio cicio drwy ddrws ystafell Neil, ac er bod y clo arno, doedd Simon ddim yn meddwl y byddai'n dal drwy'r nos.

Wedi i'r heddlu gyrraedd a gwneud yn siŵr bod Simon yn iawn, cytunon nhw y gallai ddod adre ati hi a'i mam, am heno o leia. Dywedodd wrtho fod yr heddlu am ei weld e, a'r gwasanaethau cymdeithasol hefyd.

"Gei di aros 'ma gyda Simon 'fyd os ti isie," cynigiodd Helen yn garedig.

"Na, well i fi beidio," meddai Neil. Roedd e am fynd adref a thrio cael rhywfaint o drefn ar y tŷ erbyn i'w dad ddod adref. Er, gwyddai bellach na fyddai hynny'n debygol o ddigwydd heno.

"'Sdim rhaid i ti neud popeth dy hunan," meddai Helen wrtho. "Mae 'na lefydd all dy helpu di. Ma rhifau ffôn 'da fi os ti moyn …"

Roedd Neil yn gwrando ar ei geiriau, yn deall popeth ddywedai Helen, ond ni allai resymu'r teimladau oedd yn ffrydio trwyddo. Roedd e'n grac, yn drist, yn euog, yn teimlo rhyddhad a thrueni – pob un o'r teimladau yn llifo trwy'i gilydd. Caredigrwydd Helen oedd yn ei gadw'n gall.

Eisteddai hi wrth ei ochr, yn dyheu am gael cydio ynddo, am gael dweud wrtho mor falch yr oedd hi ohono, mor ddewr roedd e wedi bod, ond dewisodd ei geiriau'n ofalus. "Fydd pawb yn gallu gweld dy fod ti wedi gwneud dy orau dros Simon. 'Sdim isie i ti ofni dim. Dy longyfarch di fydd yr heddlu a'r gweithwyr cymdeithasol, nid chwilio am rywun i'w feio."

Cododd Neil oddi ar y soffa lle bu'n eistedd. "Well i fi fynd, Hels. Duw a ŵyr beth sy'n aros amdana i adre …"

Aeth Helen i'w hebrwng at y drws. "Paid â becso byti Simon," meddai. "Af fi â fe i'r ysgol fory os yw e moyn mynd. Fyddi di siŵr o fod yn brysur yn sorto pethe mas 'da dy dad."

Wrth y drws, daeth saib anghyfforddus. Syllodd Neil ar ei esgidiau ond roedd Helen yn benderfynol nad oedd hi am adael i'r cyfle basio – dim heno, o bob noson. Symudodd tuag ato, rhoddodd ei breichiau amdano, a phlannu cusan ysgafn ar ei foch. "Daw pethe'n iawn 'to, gei di weld."

Bron na theimlodd Neil y gusan. Ysgydwodd ei ben. Doedd e ddim yn rhannu optimistiaeth Helen. Sylwodd e ddim ar y gwrid yn codi ym mochau ei ffrind. Addawodd ffonio y peth cynta'n y bore, ac aeth allan i'r nos i gymryd y camau unig cyntaf ar y siwrne tuag adre.

## Pennod 29

Mae ‘**CAIS**’ yn dweud:
Wy wedi dadlau gyda ffrind. Wy ’di trio popeth ond alla i ddim ei chael hi i wrando. Mae hi bach yn wyllt, a wy’n poeni amdani. Poeni falle eith hi’n rhy bell un diwrnod a wedyn bydd hi’n rhy hwyr. Nelen i unrhyw beth drosti. Wy’n meddwl y byd ohoni. Wy’n meddwl bo fi mewn cariad ’da hi, ond ma cymaint o ofn arna i weud wrthi. So ni’n gallu siarad heb ddadlau y dyddie ’ma. Bydden i’n gwerthfawrogi unrhyw gyngor s’da unrhyw un … Mae isie help arnon ni …

Gwasgodd ‘Cais’ y botwm ac anfon ei bryder at Gynghorydd Graffiti.

Eisteddodd yn ôl i ddarllen neges arall oedd ar y wefan eisoes.

Mae ‘**GWYLLT GIRL**’ yn dweud:
Ma pawb yn meddwl bod ’da fi fywyd perffaith. Ma’r ysgol yn rhwydd, ma Mam a Dad ’da’i gilydd, ma nhw’n gyfoethog, wy’n unig blentyn, wy’n ca’l ’yn sbwylo. Dylen i fod yn hapus, ond ma pawb yn disgwyl cymaint gen i. Rhaid i fi basio pob arholiad gyda marc uwch na’r tro diwethaf, rhaid i fi fod yn ddoctor pan wy’n hŷn, wy’n gorfod gwisgo mewn ffordd arbennig, ymddwyn mewn ffordd arbennig, ac mae e i gyd mor BORING!!

Wy jyst moyn byw, moyn profi pethau newydd, moyn rhyddid. Wy moyn i bobl dderbyn shwt berson yf fi, nid shwt berson y dylen i fod. Wy moyn treulio'n amser 'da pobl gyffrous, pobl ddiddorol. Beth sy'n bod ar 'ny? Beth sy'n bod ar fod moyn bach o hwyl?????!!!

Ailddarllenodd Gwen ei neges ei hun ar y sgrin, a chwarddodd. Dros yr wythnosau diwethaf roedd hi wedi bod yn dyst i bob math o broblemau ar Graffiti. Pobl oedd yn cael eu curo, plant beichiog … Doedd neb yn mynd i deimlo trueni drosti hi na chynnig cyngor iddi. Cenfigennu wrthi fyddai'r rhan fwyaf ohonyn nhw, roedd hi'n gwybod hynny. Dyna pam fod ei neges wedi bod yn eistedd ar y sgrin fel asyn yn aros am ateb ers hanner awr.

Clywodd bîp cyfarwydd ei ffôn. Cododd i ddarllen y neges oedd wedi cyrraedd.

**GARETH:** `Sgwrs fory?`

Chwarddodd Gwen.

**GWEN:** `Ocê x`

Falle bod rhywun yn ei deall hi wedi'r cyfan.

## Pennod 30

Yng nghornel sedd gefn y bws roedd Helen a Neil wrthi'n cusanu'n ddwfn. Roedd Neil wedi gwneud ymdrech arbennig i ddal y bws bob bore ers wythnos er mwyn sicrhau'r dechrau gorau posib i'r dydd! Er bod Simon yn gwrido wrth dystio i nwyd ei frawd mor gynnar yn y bore, roedd e wrth ei fodd bod Helen yn treulio cymaint o amser yn y tŷ gyda nhw, er nad oedd e'n cael cymaint â hynny o gyfle i siarad â hi!

Wrth y ffenest arall roedd Gwen, a Gareth wrth ei hymyl, a'r ddau'n cynnal sgwrs gall â'i gilydd am y pedwerydd bore'n olynol. Roedden nhw wedi anghofio'u dadl ac yn deall ei gilydd erbyn hyn. Roedd yn rhyddhad i bawb eu bod nhw'n ffrindiau unwaith eto.

Ac yno, yn frenin ar y cyfan, ynghanol y sedd gefn, eisteddai Steff, wedi gwella'n llwyr. Ond roedd pethau wedi newid ar y bws ers iddo fod i ffwrdd. Roedd e'n brysur yn trio osgoi edrych ar Helen a Neil yn lapswchan. Gwyliai Rhys a Rhodri yn teimlo babi Lisa yn cicio. Yn ôl pob tebyg, roedden nhw wedi penderfynu bod hynny'n fwy o hwyl na thynnu ei gwallt a dwyn ei bag.

Roedd tad Neil yn ôl adre, ond roedd y gwasanaethau cymdeithasol yn cadw llygad barcud arno, a'r heddlu hefyd. Roedd e'n mynychu sesiynau cwnsela er mwyn ceisio rheoli'i dymer, ac roeddynt fel teulu wedi dechrau mynd i sesiynau arbennig i drafod eu galar. Gwyddai Neil fod llwybr hir o'u blaenau, ond doedd eu tad ddim wedi cael yr un ddiod ers y noson echrydus honno bythefnos yn ôl, ac roedd baich y misoedd diwethaf wedi ysgafnhau'n sylweddol.

Eisteddodd Steff yn dawel am rai munudau, ond doedd e ddim yn gallu atal ei hun rhagor. "Newch chi'ch dau stopo blincin snogo!"

Trodd dau wyneb coch ato'n araf a gwenu, cyn ymddiheuro.

"Lwcus taw Helen a nage ti yw'r cynghorydd pwyllog, ife Steff?" meddai Gareth.

"Prif Gynghorydd, os gwelwch yn dda!" cywirodd Helen e, cyn ychwanegu, "ond nagw i'n meddwl y bydd 'ny'n para'n hir. Ma pethe gwell 'da fi i neud ar hyn o bryd!"

"Ie, wel, gwylia di nad yw Miss Rhydderch yn dala ti. Falle gei di dy ddiarddel!" meddai Gwen, oedd erbyn hyn yn gallu chwerthin am ei phrofiad.

"Sa i'n gwbod chwaith," oedd ymateb cyflym Helen. "Fi yw ei hoff ddisgybl hi ar hyn o bryd."

"Heblaw fi!" meddai Steff.

Erbyn i Steff ddychwelyd i'r ysgol, roedd Miss Rhydderch wedi dod i wybod am Graffiti ac wedi bod yn boen i'r criw bach oedd yn gyfrifol amdano. Yn groes i'r disgwyl, doedd hi ddim yn grac, ddim o bell ffordd – yn hytrach roedd hi wrth ei bodd ac yn awyddus i'w datblygu yn wefan swyddogol yr ysgol. Ar ben hynny, roedd hi'n cynnal cyfarfodydd gyda'r Prifathro er mwyn ei ddarbwyllo yntau ynglŷn â gwerth y wefan hefyd.

"Ond sa i'n gwbod, bois," meddai Steff. "So fe'r un fath pan mae'r athrawon yn cymryd drosodd, yw e? Nage 'na beth oedd y bwriad ..."

Er bod Steff yn amlwg yn falch fod pawb yn hoffi'r wefan ac yn ei defnyddio'n rheolaidd, roedd e'n sicr na fyddai'r disgyblion mor barod i ofyn am gyngor tasen nhw'n gwybod bod yr athrawon yn darllen eu negeseuon.

"'Sdim isie i ti boeni, Steff," meddai Helen, â'i llygaid yn llawn direidi. "Mae'r Cynghorydd wedi cael syniad. Sen i'n gweu'thot ti bo fi eisoes wedi meddwl am enw i'r wefan newydd, fyddet ti'n helpu fi i'w seto hi lan?"

Datododd ei hun o freichiau Neil ac aeth i'w bag i chwilio am rywbeth. Cododd bump *marker pen* du ohono. "Unrhyw un moyn benthyg un o'r rhain?!"

Chwarddodd y pump wrth i'r bws droi i mewn drwy gatiau'r ysgol.